W0199723

« RÉPONSES »

Collection dirigée par Joëlle de Gravelaine

CATHERINE VALABRÈGUE
COLETTE BERGER-FORESTIER
ANNETTE LANGEVIN

CES MATERNITÉS QUE L'ON DIT TARDIVES

ÉDITIONS ROBERT LAFFONT
PARIS

Si vous désirez être tenu au courant des publications de l'éditeur de cet ouvrage, il vous suffit d'adresser votre carte de visite aux Éditions Robert Laffont, Service « Bulletin », 6, place Saint-Sulpice, 75279 Paris Cedex 06. Vous recevrez régulièrement, et sans aucun engagement de votre part, leur bulletin illustré, où, chaque mois, sont présentées toutes les nouveautés que vous trouverez chez votre libraire.

© Éditions Robert Laffont, S.A., Paris, 1982
ISBN 2-221-01089-2

A PROPOS DE GUILLEMETS

« Tardive »... cette maternité se détache des autres. Elle questionne, tout au moins il nous a plu de l'envisager sous cette forme. Mais pourquoi donc ? En quoi un tel sujet nous a-t-il touché au point de vouloir y réfléchir à trois ?

Nos différences d'appartenance professionnelle, nos différentes expériences familiales et autres constituent en soi un dialogue. Où nous a menées ce dialogue ? A des constatations, des révoltes, des remises en question qui s'entremêlent et forment le tissu de cet ouvrage.

Sans vouloir parler d'approche pluridisciplinaire, ce qui serait présomptueux, il s'agit néanmoins de trois éclairages qui se complètent.

Catherine Valabrègue dévoile d'emblée qu'il s'agit d'une conviction militante en vue d'un changement de société. Cofondatrice du Planning familial en France, elle suit depuis des années l'évolution des relations entre les hommes et les femmes, surtout depuis l'expansion du féminisme. Parmi les ouvrages qu'elle a publiés, il en est un sur le désir d'enfant[1]. Elle poursuit ici sa réflexion à travers la problématique de la maternité « tardive ».

1. *Des enfants, pourquoi ?*, éd. Stock.

Si, sur certains aspects, les trois auteurs de ce livre ont eu des points de vue divergents, elles partagent la même révolte à propos de l'enfermement dans l'âge. Est-on vraiment une « vieille mère » lorsqu'on attend son premier enfant à 35 ou 40 ans ? D'où les guillemets qui accompagnent le mot tardive.

Colette Berger-Forestier nous indique ce que l'on doit savoir et non pas se laisser dire sur les éventuels risques courus par les femmes. Médecin et sociologue, elle a pu faire le pont entre les connaissances médicales actuelles et les aspects sociologiques qui déterminent en partie nos comportements face à la maternité. Mais surtout, elle a étudié l'évolution des comportements des femmes quant à leur « projet de vie », si toutefois nous pouvons déjà parler de « projet ».

Annette Langevin, sociologue, a essentiellement travaillé sur la notion d'âge, précisant l'importance des codes sociaux dans la façon dont nous organisons ou subissons le calendrier.

Cet ouvrage ne se veut en rien un élément d'endoctrinement. Notre volonté à toutes trois est de participer, même très modestement, à une prise de liberté à travers les étapes de notre vie de femme.

PREMIÈRE PARTIE

PARTI PRIS POUR UNE MATERNITÉ TARDIVE

par Catherine Valabrègue

1

PARTI PRIS

Qu'est-ce qu'une femme ? Je n'en sais rien, je vous assure qu'aucune femme ne le sait avant de s'être exprimée dans tous les arts et toutes les professions ouvertes aux capacités humaines.

Virginia WOOLF

Toute femme peut en principe décider librement du nombre d'enfants qu'elle veut avoir et du moment où elle les aura. Cette liberté, les femmes en usent-elles autant qu'elles le pourraient ? Absolument pas. Certes, comme toute liberté, elle est relative. La maternité est liée aux événements qui jalonnent une vie, en particulier à la rencontre d'un homme que l'on souhaiterait pour père de son enfant et les éléments inconscients qui entrent en jeu dans le désir d'enfant viennent souvent compliquer, voire fausser, la décision à prendre.

Le féminin continue d'être confondu avec le maternel — est-on tout à fait une femme avant d'être mère ? — au point que certaines veulent un enfant pour se sentir « terminées comme femme », disent-elles, ou pour savoir « si leur corps marche bien». La fécondité les rassure sur leur féminité, aussi décident-elles d'être enceintes, ce qui les mène parfois à l'avortement, si, vérification faite, elles attendent un enfant à un moment qui ne leur convient pas.

Beaucoup de femmes voient la maternité comme le chemin quasi obligatoire pour devenir adulte; c'est une sorte d'initiation qui leur confère la reconnaissance par la société.

« A 40 ans, je profiterai de la vie», dit Isabelle, comme s'il fallait d'abord sacrifier à la famille. Mais, bien souvent à 40 ans, voilà les femmes toutes «rouillées». «On ne se sent pas devenir une personne quand les enfants s'envolent», me confiait une femme au foyer, que rien n'avait incitée à prendre part à autre chose qu'aux menus soucis de la vie quotidienne.

Souvent, l'enfant vient simplement combler le vide d'une existence sans intérêt: travail monotone, solitude... Son départ de la maison est dramatique. Mme B., à qui nous demandions si elle n'avait jamais été tentée de mener jusqu'à la trentaine une vie indépendante, avant de s'enfermer dans le foyer familial, nous répond: «Je me voyais comme une ratée. J'avais l'impression de n'avoir rien produit par moi-même. Avec la naissance de mon enfant, le géniteur était au second plan. C'était *mon* enfant, *ma* production, je n'aurais pas pu attendre 30 ans.»

Mme B. ne s'était pas donné la permission de vivre pleinement avant d'être mère et ne soupçonne pas qu'une femme puisse être piégée par un enfant venu trop tôt dans sa vie, lorsque, à peine sortie de l'autorité parentale, elle risque de tomber sous l'autorité d'un mari, avant même d'avoir réfléchi à sa propre valeur et aux moyens de l'exploiter.

L'éducation que les femmes ont reçue contribue à les emprisonner dans des rôles qu'elles n'ont pas toujours choisis et ne les incite pas à remettre en cause les modèles traditionnels, pour une meilleure réalisation de leur potentiel. En effet, les images et les exemples que l'on trouve encore dans la plupart des livres d'apprentissage de la lecture, si importants aux yeux des petits enfants, montrent des fillettes timides, craintives, destinées à être surtout des mamans et des ménagères. Dans l'édition du dictionnaire Hachette Junior 1980 que les écoliers et les écolières vont utiliser pendant quelque vingt ans et plus, au mot *Femme* les deux seuls exemples donnés sont *femme de ménage* et *femme de chambre.* Au mot *Homme*, qui occupe le double d'espace, on trouve : *homme de loi, homme d'affaires,* etc[1].

Le féminisme cherche moins à proposer de nouveaux modèles qu'à inciter à abandonner les anciens pour innover, ce qui ne rassure jamais personne. La remise en cause profonde des structures de la société fondées sur des rapports de domination d'un sexe sur l'autre amènera nécessairement de nouveaux types de relation entre hommes et femmes. Pour hâter le processus de changement, il faudrait que les uns et les unes en pressentent plus nettement le bénéfice pour mieux accepter la dure période de recherche, si déstabilisante, que nous traversons.

Beaucoup de femmes continuent d'évoquer les images qui pèsent sur leur choix de vie, sans faire le pas pour y échapper. « On a vu comment fonctionnent nos parents et on a du mal à se séparer des modèles reçus. » « Je me dis qu'à 35-36 ans je serai un monstre si je n'ai pas d'enfant », me confie Annie. « Je n'arrive pas à m'enlever ça de la tête. Il faudra plusieurs générations pour qu'on ne croie plus que c'est obligatoire d'avoir un enfant. »

La maternité n'est pas seulement une expérience individuelle, c'est un fait social. Il y a pression des institutions, du corps médical, de la famille, des amis... qui rend anxieuses les femmes dès 26-27 ans qui ne sont « toujours pas

1. Les protestations de l'association « Pour une école non sexiste » ont amené les éditions Hachette à ajouter *femme d'affaires* en 1982.

mariées », ou, si étant mariées, qui n'ont « toujours pas d'enfant ». « Je ne sais pas ce qui est en moi désir d'enfant et ce qui fait partie de tout ce que j'ai ingurgité et qui s'appelle la pression sociale », ai-je entendu une femme me dire. « Je ne m'étais pas encore posé la question d'avoir des enfants, mais *on* me la pose[1].

Où les femmes trouveraient-elles une incitation à prendre des voies nouvelles ? Ni dans les magazines qui leur sont destinés, à de rares exceptions près, ni dans la publicité où la femme sert de décor et d'appât. Ce sont les femmes qui ont un enfant « tardivement » qui nous font réfléchir.

Anne, 40 ans, qui a une fille de 2 ans nous dit : « La plupart des femmes mettent la charrue avant les bœufs. On se marie, on a un enfant, trois histoires de vie se mêlent avant qu'on ait démêlé sa propre histoire. Trente ans, c'est un âge adulte. Avant, je ne savais pas qui j'étais. Une fois délivrée de mes problèmes personnels et capable d'assumer moralement et financièrement un enfant, j'ai senti que son arrivée serait une joie, et non plus un poids. »

Il faut souhaiter que de plus en plus de femmes aient le souci de mener une vie indépendante, riche d'expériences, jusqu'à la trentaine, avant de tisser le cocon familial. La maternité serait alors insérée dans un projet global de vie, lorsque l'on sait si l'on veut se marier ou non, indépendamment de ce qu'en pensent famille et amis et quel style de vie nous conviendrait le mieux

Si les femmes, avant de fonder une famille, planifiaient une vie qui comporte des responsabilités dans la société, continueraient-elles à avoir des enfants entre 24 et 26 ans, comme c'est le cas actuellement, en pleine période d'ascension professionnelle ? Avoir de jeunes enfants pendant cette période signifie que l'on aura une vie épuisante, parce qu'en

1. *Des enfants, pourquoi ?*, C. Valabrègue, éd. Stock.

dépit de quelques changements, les femmes continuent d'assumer la responsabilité de la maison et des jeunes enfants. Que l'homme ait un ou plusieurs enfants ne change pas tellement sa vie. Quant aux mères qui abandonnent leur travail pour rester au foyer, elles se trouvent exclues, pendant des années, de tout processus d'avancement.

Quel est l'homme qui risquerait de s'investir, parallèlement à son travail, à un moment déterminant pour son avenir, dans une expérience aussi fondamentalement bouleversante que celle de la grossesse et de la maternité. Une femme est en droit de vivre pleinement l'attente de la naissance de son enfant et d'être capable de l'assumer matériellement. Or, dans notre société, il faut avoir mené une vie professionnelle pendant bon nombre d'années et y être attachée par intérêt pour son métier ou par souci d'être autonome, pour pouvoir, sans dommage pour l'avenir, l'interrompre, afin de mettre au monde un enfant.

Les natalistes ne manqueront pas de craindre que les femmes qui attendent le moment propice pour avoir un enfant tardent à se décider par peur de perturber l'organisation quotidienne de leur vie, parce qu'il est certain que la venue d'un enfant provoque de grands remous. Parmi celles qui n'en auront pas, il y aura surtout celles qui n'en voulaient pas et qui n'osaient pas le dire. Pourtant c'est leur droit. S'il y a désir d'enfant, dans la majorité des cas il se réalisera. On a bien vu en Mai 68, dans les groupes de militants d'extrême gauche, les femmes enceintes se sentir gênées, réprouvées. Il était mal vu de penser à faire un enfant quand l'urgence était de faire la révolution. Mais, peu à peu, se formant politiquement, ces jeunes femmes sont devenues des adultes qui ne laissaient plus les autres décider de ce qui était bon ou mauvais pour elles. Elles voulaient faire la révolution *et* des enfants.

Pour une femme qui a pris de la distance par rapport aux

modèles familiaux, la difficulté consiste à trouver un homme qui lui convienne et qui accepte la liberté qu'elle s'accorde. Elle craint qu'à vivre avec un homme, les schémas traditionnels ne reviennent au galop. Du côté des hommes, il s'avère qu'ils épousent des femmes plus jeunes qu'eux, qui n'ont pas une éducation supérieure à la leur, ou un salaire plus élevé. Ainsi, plus les femmes vieillissent, moins elles ont de choix pour trouver un compagnon et plus elles sont exigeantes, ce qui n'est pas le cas des hommes. Aussi commence-t-on à voir de plus en plus de femmes décider d'avoir un enfant à la quarantaine, sans nécessairement vivre avec le père.

Si l'on voulait encourager la natalité, c'est une tout autre image de la maternité qu'il faudrait avoir dans une société qui prétend permettre aux femmes d'accéder aux mêmes postes que les hommes. De nos jours, une femme appelée à de hautes responsabilités (je pense à une femme ministre) n'ose pas être enceinte, alors qu'elle souhaiterait avoir un enfant. Et pourquoi ne pourrait-on siéger au Conseil des ministres pendant le cours d'une grossesse ? Si le monde n'était pas régi par les hommes, cela paraîtrait tout naturel. Mais ils ont toujours eu tendance à vouloir enfermer les femmes dans un rôle unique : femmes pour le « plaisir », femmes pour le devoir conjugal et la procréation et maintenant ils en viennent tout aussi difficilement à accepter que la femme mère puisse avoir une vie à elle, hors du foyer. J'ai eu l'occasion de le constater, récemment, lors d'une enquête faite parmi les femmes qui veulent retravailler. Beaucoup d'entre elles parlent de l'inquiétude qu'elles ressentent chez leur mari, voire l'angoisse, à l'idée que leur épouse ne va plus se consacrer uniquement au foyer et aux enfants et qu'elle va devenir indépendante. De même, lors d'une émission des *Dossiers de l'écran*, la question finale, résumant toutes celles qui avaient été posées au cours du débat par les téléspectateurs, en disait long : « Est-ce que le travail des mères est bien raisonnable dans notre société (sic) ? » (Émission du 28 avril 1981.)

On commence à voir les hommes mieux partager la responsabilité de l'éducation des enfants, on ne voit pas pour autant les femmes avoir droit à une ascension sociale comparable à la leur... Et les femmes, encore peu sûres d'elles, n'osent pas aller à l'encontre de ce que les hommes attendent d'elles et de la place qu'ils leur assignent. Elles ont trop peur de leur déplaire et de perdre leur amour.

Il ne suffit pas d'offrir sa place dans le bus à une femme enceinte, ou de donner aux pères la possibilités de prendre un congé « maternité », ce que de toute façon ils ne sont pas prêts à faire, tant que, dans le couple, l'homme gagnera plus que la femme. Il faudrait que les employeurs aient une autre mentalité. Est-il admissible que le chef de personnel d'un grand magasin, au lieu de changer de poste une manutentionnaire enceinte qui se plaint de fatigue, pour lui faire faire un travail moins dur, lui dise : « Rentrez définitivement chez vous, madame, si vous n'êtes pas en état de travailler. » Ailleurs, c'est une femme à un poste élevé, qui, pour se « faire pardonner », comme elle dit, sa grossesse, travaille deux fois plus que d'habitude, et elle en tombe malade. Les employeurs sont contents que leur femme ait des enfants, mais que leurs employées ne s'avisent pas d'en avoir. Il se plaignent eux aussi de la baisse « inquiétante » de la natalité, tout en pénalisant les femmes qui mettent au monde un enfant. Il serait un temps d'admettre que ce n'est pas un problème de femme, mais de société. Une maternité devrait valoir, au minimum, un an de promotion.

« S'arrêter de travailler, c'est le piège », titrait *F. Magazine*. Il faut être solidement structurée pour ne pas y tomber, dans ce piège, dans une société où le travail, pour une majorité d'hommes et de femmes, n'est qu'un moyen de gagner de quoi vivre et qu'il faut pour cela accepter le poids d'une hiérarchie qui vous écrase. De plus, tant qu'à compétence égale, un homme sera embauché plutôt qu'une femme et que la discrimination se manifestera également dans la promotion et le salaire, rester à la maison continuera d'être la tentation de beaucoup de femmes. Le monde du travail sera noirci à l'excès, tandis qu'elles croiront trouver dans la vie de femme au foyer un épanouissement personnel, oubliant que l'absence d'autonomie financière risque de mener aux pires situations. Elles ignorent aussi que l'isolement et l'absence de stimulant ont raison des meilleures intentions, telles que le désir de se cultiver, d'apprendre une langue, la musique... et que les enfants grandissent vite, laissant plus souvent la maison vide qu'on ne le souhaiterait. Quant aux goût de participer activement à la vie municipale, départementale, nationale, il ne vient que rarement à celles qui sont coupées du monde du travail. Or, tant que les femmes n'auront pas la volonté d'acquérir une personnalité sociale, la société ne bougera pas fondamentalement.

En 1975, année de la Femme, l'ONU avait prévu un programme mondial favorisant l'évolution de la condition féminine, échelonné sur dix ans. En 1980, à la décennie, les Nations unies se réunissaient à Copenhague pour faire le point. Or, tandis que chaque pays se félicitait des progrès dont il se prétendait l'artisan, les témoignages montraient bien que presque tout restait à faire. « Les progrès sont infimes, le bilan est désastreux, presque nul », avouait la secrétaire générale de la Conférence, Mme Lucile Mair.

Doit-on rappeler que dans tous les pays industrialisés, les femmes ont une formation inférieure à celle des hommes, obtiennent les emplois les moins rémunérés et les moins appréciés et n'ont que peu ou pas d'influence sur les processus de décision. (En France, il y a 26 députés sur 491, 5 ministres sur 33, 500 femmes maires pour 33 000 communes). Les femmes ne reçoivent que 10 % des revenus salariaux dans le monde, possèdent moins de 1 % des richesses mondiales, bien qu'elles représentent la moitié de la population et qu'elles effectuent plus de 60 % de toutes les heures de travail fournies.

Les lois existent, il appartient aux femmes de faire valoir leurs droits. Pourquoi sont-elles si peu nombreuses à le faire ? Par manque d'information, sans doute, mais aussi, tant que les femmes estiment leur vie justifiée par la seule venue d'un ou plusieurs enfants, elles se croient quittes vis-à-vis de la société, alors qu'ayant le pouvoir de donner la vie, elles devraient justement prendre leur part de responsabilités partout où l'on décide de leur sort et de celui de leurs enfants, que ce soit à l'échelon de la nation. de l'entreprise, du syndicat...

On ne manquera pas de nous dire que nous faisons un projet élitiste en défendant la maternité « tardive ». Il est vrai, les enquêtes le montrent, et l'on s'en douterait, que les opinions les plus éloignées de la tradition, si ce n'est les plus progressistes, émanent de ceux et celles qui ont poussé leurs études et qui accèdent à des postes convenablement rénumérés. Quand la vie est trop pénible, on n'a ni le temps, ni la force de réfléchir aux moyens d'améliorer sa condition.

J'en ai eu pleinement conscience en écoutant le personnel d'une importante maternité de la banlieue parisienne, où la majorité des femmes qui viennent consulter sont de milieu défavorisé. Là, notre désir de voir les femmes planifier leur vie ne peut avoir d'écho. Elles vivent au jour le jour, sans parvenir à se situer dans le temps. Leur donne-t-on un rendez-vous, elles arrivent aussi bien vingt-quatres heures plus tôt que plus tard. « Si je leur demande, me disait une sage-femme : « Pourquoi avez-vous abandonné la pilule ? Comment envisagez-vous votre vie dans les mois qui viennent ? » — questions qu'on leur pose quand elles viennent demander un avortement — elles ne savent pas quoi répondre. Elles agissent de manière épidermique. Quand on travaille professionnellement, il est certain qu'on a un tout autre regard sur la vie, sur le temps qui s'écoule. »

Pensons maintenant à la majorité, c'est-à-dire aux femmes qui ne sont ni très riches, ni très pauvres : elles pourraient faire des études ou, du moins, vivre un temps d'épanouissement personnel avant de fonder une famille. Ce n'est pas une question d'argent. Il faudrait que les femmes existent par elles-mêmes, qu'elles ne comptent que sur elles pour forger leur avenir, quoi qu'on en pense autour d'elles. *Il faudrait qu'elles s'aiment.* « Les femmes ont tant besoin de savoir qui elles sont », nous disait une jeune éducatrice. Comment prétendre que les femmes sont frivoles, alors que tant d'entre elles n'osent pas se faire plaisir et n'ont pas conscience de leur masochisme et du mal qu'il leur fait.

Il faut dire aux femmes que ni leur père, ni leur patron, ni leur mari, ni personne ne peut décider de leur sort. Elles doivent s'organiser d'une manière qui leur soit propre et qui n'a rien à voir avec le prêt-à-porter corseté de stéréotypes qu'on leur propose. Au lieu d'affirmer leurs besoins, leurs droits, de refuser l'ennui de la routine ménagère, d'avoir dans la maison familiale une pièce à soi, et à la banque un compte à soi, nombre de femmes mariées se réfugient encore dans la mauvaise humeur, les petits drames, si ce n'est la maladie, espérant vaguement qu'un beau chevalier viendra les délivrer. Mieux vaudrait se battre, quitte à se mettre en colère, pour affirmer une certaine autonomie, porteuse d'initiatives en tous genres. La résignation, la défiance de soi-même portent aux femmes un préjudice dont elles n'arrivent pas à prendre conscience.

Notre société à structure paternaliste propose toujours de nous assister, elle n'éveille pas en nous le désir de nous prendre en charge. Comment susciter assez de curiosité et d'espoir pour que nous cessions de vivre avec des idées reçues qui ne conviennent plus à des temps nouveaux? Comment faire pour ne plus entendre des femmes dire: «Est-ce vraiment cette vie que je voulais? Parfois, ça me panique?» Ou encore: «J'ai un autre désir, je veux avancer, je ne sais ni où ni comment. Je me sens enfermée dans une vie que je n'ai pas choisie... Qu'est-ce que je cherche? Quand est-ce que je vais arrêter de courir[1]?»

Il n'est pas nécessaire d'être intelligente ou de tout savoir pour trouver des solutions nouvelles à nos problèmes. Qu'il y ait des crises imprévues, imprévisibles, à la suite de nos tentatives, c'est inévitable, elles peuvent même nous coûter cher, mais jamais nous ne voulons payer le prix. C'est pur infantilisme, seuls les enfants reçoivent tout gratuitement.

Il faut reconnaître que la période que nous traversons est également difficile à vivre pour les hommes. Ils souffrent de voir de plus en plus de femmes cesser d'être servantes et mères pour devenir des partenaires. Bien qu'ils sachent que ce changement est irréversible, ils ne savent plus exactement quel doit être leur rôle, et les femmes n'ont pas encore acquis l'assurance qui leur donnera peu à peu la conscience de leur valeur.

Dans tous les stages organisés pour les femmes qui veulent retravailler, on sait qu'il faut avant tout leur inculquer confiance en elles et les aider à apprécier la valeur des autres stagiaires. La plupart ont un sentiment d'infériorité lié à l'idée qu'elles n'ont pas à s'affirmer et qu'il leur sied d'être modestes, humbles, discrètes. Le fait de se trouver avec des animatrices qui les valorisent, les aide à découvrir les dimensions de leur personnalité. A vivre le stage, sur un plan

1. Entendu dans l'émission de Pascale Breugniot et Pierre Bouthier, «Qu'est-ce qu'on attend pour être heureux?», Antenne 2, (une enquête sur les couples), 21 octobre 1981.

qui exclut toute rivalité, elles découvrent que l'amitié, l'estime, la solidarité peuvent exister entre femmes. « Dois-je le dire, écrit une des participantes, avant de venir ici, je n'estimais pas beaucoup les femmes. Je les trouvais molles, mesquines et enfantines. Le contact avec les stagiaires de milieux et d'âges différents m'a beaucoup enrichie. »

Ce qui manque le plus aux femmes pour organiser à la fois une vie de travailleuse et de mère, ce n'est pas tant les crèches et les congés, certes indispensables, que d'avoir conscience de leur valeur, de leur force, de leur pouvoir. On ne sait pas assez que le féminisme offre justement aux femmes, dans des groupes non mixtes, la chance d'apprendre à se connaître et à s'exprimer sans gêne. C'est à partir de la découverte de leur dimension personnelle qu'elles peuvent chercher leur juste place dans la société et pas seulement dans la famille.

Des féministes ont fait ici et là la grève des ventres. A Toulouse ou à Berlin, ce fut leur manière de protester contre les centrales nucléaires. Ce genre de manifestations ne manque pas de provoquer moquerie ou irritation. Cela devrait plutôt faire réfléchir les femmes. Les hommes contrôlent toutes les formes de production, de là vient leur pouvoir. Quel n'est pas celui des femmes qui détiennent le pouvoir sur la plus importante des productions, celle des enfants ! A elles de s'organiser, sans se laisser enfermer dans des schémas qui aliènent leur liberté et la possibilité de participer activement aux destinées de leur pays. D'où vient qu'elles se laissent piéger ? C'est une sage-femme qui m'a le mieux éclairée sur la difficulté des femmes à assumer leur pouvoir.

« Dans la préparation à l'accouchement, les femmes prennent conscience d'une dimension autre, elles découvrent leur force, *elles ont peur de l'utiliser contre l'homme* (c'est moi qui souligne), elles préfèrent ignorer ce pouvoir de vie et de mort qu'elles détiennent, de crainte de se sentir plus puissantes, plus fortes, que leur homme. » Et j'ajouterai, de peur par là même de perdre son amour.

Nous ne pouvons rien prouver. Nous ne pouvons pas demander aux femmes : si vous aviez eu votre premier enfant après 30 ans, votre vie aurait-elle été mieux réussie ? Cela rappellerait par trop les enquêtes menées dans les années soixante pour dénigrer la contraception, lorsqu'on allait demander à des femmes sur le point d'accoucher, c'est-à-dire quand leur corps et leurs forces vives étaient engagés dans le processus de la gestation, si, ayant eu connaissance de la contraception, elles auraient eu l'enfant qu'elles attendaient.

L'usage de la contraception a transformé la vie des femmes, l'amniocentèse leur offre maintenant un supplément de liberté dans le choix du moment pour avoir un enfant. Cet examen élargit la limite d'âge, puisque la ponction dans le liquide amniotique permet de détecter les anomalies chromosomiques. Le risque de mettre au monde un mongolien croissant chez les femmes de plus de 35 ans pesait sur leur décision d'avoir un enfant « tardivement ». Elles peuvent désormais obtenir un avortement si la malformation est décelée.

Aujourd'hui, les femmes vivent en moyenne jusqu'à 77 ans dans les pays industrialisés, mais il faut du temps pour qu'une notion telle que l'allongement de l'espérance de vie soit intégrée, au point d'influer sur nos projets de vie. On peut cependant espérer qu'il paraîtra bientôt normal qu'une femme ait son premier enfant largement après la trentaine d'autant que la mortalité infantile étant presque nulle et les familles nombreuses de moins en moins souhaitées, il n'est plus nécessaire de prévoir un trop long temps de vie consacré aux maternités.

A 60 ans, de nos jours, on est dans la force de l'âge et les traitements hormonaux qui peuvent être administrés aux alentours de la ménopause, dans une majorité de cas, permettent aux femmes de garder une jeunesse de visage et de corps qui transforme l'allure et la vie de la femme de 50 ans et plus[1]. La femme de 30 ans de Balzac en a 50 de nos jours et nos contemporaines de 40 ans paraissent dix ans plus jeunes que la génération précédente.

Pour l'enfant, les avantages d'avoir une mère plus « âgée » sont multiples. Carole, enseignante, est formelle : « Les parents « âgés » sont souvent plus compréhensifs que les plus jeunes, moins exigeants. C'est logique, ils comprennent mieux les problèmes qui peuvent se poser à l'enfant. Je remarque que la mère est aussi plus capable d'aborder avec le père les questions essentielles. A 20 ans, on croit que l'amour arrangera tout. Cela peut aplanir les problèmes, ils ne sont pas résolus pour autant. »

Personne ne soutiendra qu'il soit fâcheux d'avoir une mère mature, bien insérée dans la société. Ses relations au père, à l'enfant, aux diverses institutions dont les femmes subissent trop facilement le pouvoir seront marquées par l'autonomie acquise. De telles mères ne donneront plus aux enfants l'image d'une femme vouée à sa progéniture et aux tâches ménagères. Les garçons, devenus hommes, ne seront plus d'éternels enfants. Ils pourront, de plus, intégrer les qualités « maternelles » de douceur, de tendresse qu'ils trouveront chez des femmes mères *et* actives professionnellement.

Quant aux filles, elles n'auront plus à s'inspirer essentiellement du modèle masculin pour imaginer et bâtir une vie active. Ainsi nous ne verrons plus les femmes se comporter comme des hommes lorsqu'elles arriveront à des postes importants. Y parvenant aussi souvent que les hommes,

---

1. *La Femme à 50 ans*, Suzanne Képès et Michèle Thirier, éd. du Seuil.

parce qu'elles n'auront pas sacrifié leur métier à la famille, elles n'auront plus un comportement de minoritaire, obligées d'adopter le modèle masculin pour se faire accepter et entendre. Elles auront leur propre mode d'être et d'agir dans leurs activités professionnelles, syndicales, civiques... « Avant j'essayais des modèles, me disait une de ces jeunes femmes qui annoncent des temps nouveaux, maintenant je vais m'essayer moi-même. »

En un premier temps, la contraception a appris aux femmes qu'elles n'avaient pas à laisser au hasard la venue de leurs enfants. Un pas de plus et elles utiliseront cette liberté pour retarder leur première maternité jusqu'au moment où elles sentiront qu'elles peuvent assumer l'enfant tout en se manifestant à part entière dans la société.

Aux États-Unis, la proportion de femmes ayant leur première maternité après 30 ans a doublé en deux ans. Va-t-on voir les Françaises suivre le même chemin ? Celles qui ont eu leurs enfants « tardivement » s'accordent à dire que la maternité est d'autant mieux vécue qu'elle n'est ni un destin auquel on ne peut échapper, ni une compensation, ni l'accomplissement d'un devoir, ni la recherche d'une identification, mais une volonté librement choisie.

Actuellement, les femmes représentent l'élément le plus dynamique de notre société. Ce sont elles qui sont agents du changement, initiatrices d'attitudes et de comportements porteurs d'une évolution irréversible. Ce n'est pas un rôle facile.

Les femmes de 32 à 40 ans et plus que nous avons rencontrées sont comme tous les chercheurs. Elles n'affirment rien. Elles avancent en tâtonnant et en essayant de faire participer leur compagnon de route à leurs découvertes. Plus elles oseront innover, plus rapidement nous verrons l'avènement de nouveaux styles de vie, non seulement favorables aux femmes mais à l'ensemble de la société. La maternité « tardive » s'inscrit dans cette évolution.

2

TÉMOIGNAGES A L'APPUI

Le bonheur d'être mère « tardivement ».

Les femmes que nous avions en entretien ont répondu d'autant plus volontiers à nos questions que beaucoup d'entre elles regrettent de n'avoir pas assez l'occasion de parler de ce qu'elles vivent au cours de leur grossesse, puis dans les premiers temps de leur apprentissage de mère. L'une d'elles a eu l'excellente idée d'ouvrir une permanence dans l'arrière-boutique d'une librairie, louée à peu de frais, où les femmes qui attendent un enfant peuvent se rencontrer et parler d'elles.

Les mères « tardives » n'ont pas manqué d'évoquer la liberté que l'on a tant qu'il n'y a pas d'enfants qui vous attendent à la maison, mais c'était toujours pour remarquer qu'ayant largement connu le temps des voyages et des sorties le soir, elles n'avaient aucun mal à être plus casanières, dans leur joie de retrouver l'enfant après leur journée de travail.

Mme S. 39 ans : « Si j'avais eu mes enfants il y a dix ou vingt ans, je ne sais pas comment j'aurais accepté de me priver de toutes les sorties, concerts, théâtre, que j'aimais tant. Je me serais sentie frustrée. Je tenais aussi à voyager. Il faut avoir vécu tout cela pour décider d'y renoncer pendant quelques années. A 40 ans, on a fait le plein, du moins pour un certain temps. Avoir un premier enfant quand on est très jeune, c'est peut-être formidable aussi. On a sans doute plus d'enthousiasme, plus de vitalité, plus de projets, mais en fait, j'ai tout ça aussi et avec moins de soucis puisque j'ai une bonne situation socialement et financièrement.»

Carole qui a eu son premier enfant à 44 ans abonde dans le même sens. Elle dit combien elle a savouré toutes les minutes de sa grossesse et combien la présence de l'enfant, qui a maintenant 3 ans, est stimulante. Elle l'incite, ainsi que son mari, à faire du sport, à se remettre au piano pour faire chanter son fils. La venue de l'enfant a été d'autant mieux vécue qu'on lui avait refusé d'adopter un bébé, sous prétexte qu'elle avait plus de 40 ans.

Pour Sylvie, 40 ans, elle aussi toute à la joie nouvelle d'être mère, ce qui compte avant tout, c'est non seulement d'être capable d'assumer la charge financière d'un enfant, mais de se sentir pleinement adulte pour l'accueillir. «Je voulais un enfant, dit-elle, depuis l'âge de 16 ans. Je l'ai eu tard parce que je mesurais ma responsabilité, je ne voulais pas m'engager à la légère. Je n'étais pas faite pour rester au foyer. Je vivais avec un homme, mais je sentais que le couple n'était pas éternel et que j'évoluais beaucoup. Comme j'approchais de 40 ans, je me suis dit qu'il n'y avait plus de raisons d'hésiter. Je m'étais affirmée dans le travail, je n'avais plus besoin d'être épaulée. A la rigueur, je pouvais dire au père: je suis capable d'élever seule l'enfant. Avant j'étais trop préoccupée par moi-même, je ne pouvais pas m'imaginer enceinte, mais une fois devenue adulte, j'ai pensé que je vivrais la maternité à mon idée, avec *mon* image de la féminité. Avec l'âge, je n'allais pas faire de cette grossesse une montagne, ni être fatiguée, ni parler de mon ventre, ce qui est pour beaucoup de femmes l'occasion de récupérer de l'autorité sur les hommes. C'est une spécificité d'avoir un enfant, mais il ne faut pas s'en servir dans les relations de travail. Je déteste le côté régressif, infantile des femmes enceintes. Je voulais réagir autrement, sans mièvrerie, sans me prendre trop au sérieux parce que j'étais enceinte. Est-ce qu'avec l'âge on est mieux armée pour vivre l'expérience autrement, avec plus de pouvoir sur son corps, plus d'expérience de son corps ? Je le crois. Ça permet de mettre la maternité à sa juste place. »

C'est exactement ce que ressentent des mères qui ont eu des enfants toute jeunes, puis d'autres à 35-40 ans et qui peuvent ainsi comparer comment elles ont vécu leur maternité à des périodes diverses de leur vie. Elles disent leur bonheur d'être mère « tardivement », aussi bien pour la manière différente de vivre la grossesse que dans la relation à l'enfant.

« A 20 ans, on ne peut donner à l'enfant que l'image qu'on a de sa propre mère. Après 30 ans, on est plus libre vis-à-vis de l'image traditionnelle de la famille, on revendique sa propre identité. On n'a plus la tentation de vivre exclusivement pour l'enfant, vingt-quatre heures sur vingt-quatre. Celui que j'ai eu à 20 ans a subi le contre-coup de mon propre développement. Le deuxième est arrivé à une période où il ne menaçait ni mon couple, ni mon métier, ni mon identité. Je me suis sentie beaucoup plus relax avec lui. Le premier a subi ma culpabilité quand je ne m'occupais pas assez de lui, maintenant, je ne me gêne plus pour faire ce qui m'intéresse. Je m'en porte beaucoup mieux et l'enfant aussi. »

Mme R. a eu deux enfants entre 20 et 25 ans et un troisième à 41 ans : « Les deux premiers, j'étais contente de les avoir intellectuellement, mais je n'avais qu'une idée, c'était de les coller à ma mère et de sortir. Quand on est très jeune, on vit dans une sorte de malaise. On ne veut pas rester sans enfant et quand on en a, on se sent coincée. A la naissance de mon deuxième enfant, j'étais déjà plus consciente de mes vrais désirs, mais à 41 ans, c'est formidable d'avoir un enfant. On peut lui donner toute l'attention et la sécurité dont il a besoin. On est mieux organisée parce qu'on a plus d'argent et qu'on sait mieux trier ce qui est important de ce qui l'est moins. »

L'arrivée de l'enfant « tardif », avec ce brin de conscience supplémentaire dont parlent toutes les mères, est un objet d'émerveillement dit l'une, d'éblouissement intérieur, dit l'autre, qu'elles n'ont pas ressenti aussi fortement pour les enfants venus plus tôt. Chaque geste du bébé paraît précieux. Mme H. a été bouleversée par l'intensité et la qualité de l'échange qu'elle a eu avec son nouveau-né. Elle n'a pas connu cela, il y a 20 ans, avec ses premiers enfants, bien qu'ils aient été attendus dans la joie.

« A 20 ans, j'ai fait un gosse sans très bien savoir ce qui se passait. J'étais folle de joie, c'était instinctif, je ne me suis jamais demandé ce que cela signifiait d'être mère, quel rapport j'aurais avec un enfant. Je ne me posais aucune question, j'étais trop jeune, ça ne me venait pas à l'esprit. J'avais surtout des problèmes d'ordre matériel à résoudre. Je n'ai commencé à me poser des questions que lorsque j'ai su que j'attendais Valérie (elle avait 38 ans). Je ne me suis pas dit, tiens, il serait peut-être temps de me poser des questions. Pas du tout. Tout à coup, elles me sont venues. Avec la naissance de cette enfant, j'ai eu conscience de façon aiguë de cet événement extraordinaire, j'allais être mère, un enfant arrivait sur terre. *Avant j'étais une femme qui avait eu des enfants, maintenant je suis vraiment une mère.* Ce sont toutes les fibres de mon corps qui parlent, mon ventre, mon cœur, ma tête. »

Mais il y a l'entourage...

Anormale, la grossesse au-delà de 35 ans ? Ce sont les proches et souvent les médecins qui la vivent ainsi. Les témoignages recueillis nous ont vite convaincus. Ils émanent pourtant de milieux où l'on ne manque ni d'éducation, ni, en principe, d'information.

« Je vis dans un milieu de pharmaciens et de médecins. Quand j'ai eu un léger malaise cet été, on l'a attribué à la ménopause, car j'avais cessé d'avoir mes règles. Quand j'ai annoncé que j'étais enceinte, il fallait voir la tête des gens. C'étais vraiment cocasse, comique. Pour ma sœur, c'était la catastrophe. Après 30 ans, il ne faut pas avoir d'enfant. »

« Dans ma famille, on vit ma grossesse très mal. L'autre jour je monte dans la voiture de mon frère. Il me dit : "J'avais l'impression que tu avais un gros paquet sur le ventre, puis je me suis souvenu que tu étais enceinte." Ma sœur, ça lui est insupportable. Je crois que je représentais pour elle la femme libre à qui l'enfant va ôter la liberté. Seule ma mère qui a eu son dernier enfant à 49 ans, en un temps où l'on n'utilisait ni l'amniocentèse, ni les méthodes préventives que l'on préconise maintenant, est heureuse pour moi. Elle ne dramatise pas la situation. »

« A 42 ans, j'étais fière de l'attendre, mais je ne voulais pas le dire. J'ai tenu le coup pendant cinq mois, sans que cela se voie. Alors que pour le premier j'avais montré mon ventre avec fierté, là, j'étais gênée. C'était sans doute l'effet de surprise que ça procurait chez les autres. Ma mère et ma belle-mère pensaient que j'étais folle. Mes amis me désapprouvaient, ils avaient peur pour moi. Ma jeune sœur, qui voulait un enfant, ne m'a pas adressé la parole jusqu'à ce qu'elle soit enceinte elle-même. »

Mal admise aussi une grossesse « tardive » en milieu professionnel. Mme C. raconte qu'au laboratoire où elle avait été embauchée à 38 ans, à un poste élevé, on pensait bien qu'elle ne se marierait pas et qu'elle n'aurait pas d'enfant. Et voilà qu'à 42 ans, elle attendait un enfant et qu'elle récidivait à 44 ans. Mme C. rapporte « qu'ils étaient exaspérés » de la voir enceinte au laboratoire (« à son âge ! »). Personne ne s'y attendait. Elle avait demandé à travailler à mi-temps chez elle, lors de sa première grossesse ; pour la deuxième, elle n'ose pas. Elle travaille deux fois plus, ne manque pas un seul jour, voyage sans cesse pour le laboratoire, s'épuise. Résultat : elle a un enfant prématuré.

Autre conséquence des réactions négatives si ce n'est hostiles de l'entourage à sa grossesse « tardive ». Mme C., au cours de nos entretiens, revient sans cesse sur l'âge qu'elle a, qu'elle paraît, qu'elle doit avoir aux yeux de ses enfants qui font, dit-elle, des remarques sur le sujet toujours en faveur de leur mère, tout comme son gynécologue lui aurait dit : « Avec une grossesse à votre âge, vous gagnez dix ans. Les femmes enceintes tardivement font très jeunes. »

Paraître jeune, le compliment majeur, l'essentiel. On ne félicite guère une femme par respect et admiration pour la longue expérience de vie dont elle peut témoigner, à moins qu'elle ne soit une vedette de l'actualité.

Belle femme de 48 ans, Mme C. a déclaré avoir dix ans de moins à ses enfants. Elle le regrette maintenant, mais elle ne sait plus « comment réparer cette bêtise ». Elle me raconte longuement les réactions de sa fille de 6 ans, à l'anniversaire de son père qui fêtait ses 50 ans. Le soir, l'enfant aurait dit à sa mère : « Tu ne trouves pas que papa vieillit mal ? Je lui ai expliqué quelque chose aujourd'hui qu'il n'a pas compris. Toi, à 38 ans, tu aurais compris[1] tout de suite. » Un autre jour,

1. On se souvient que Mme C. en a 48, et si j'use du conditionnel, ce n'est pas que Mme C. n'ait pas prononcé exactement ce que je rapporte, mais on perçoit

la fillette aurait dit d'une femme: «Tu te rends compte, elle a 45 ans, à côté d'elle, tu es jeune.» Ou encore, parlant de sa maîtresse: «Elle a au moins 50 ans, elle est très très vieille, bien plus vieille que toi.» Et Mme C. d'ajouter que l'enseignante en question est beaucoup plus jeune qu'elle. Besoin d'être rassurée chez Mme C., ou doute chez l'enfant qui voudrait savoir la vérité, il n'en est pas moins vrai que le regard porté sur la femme enceinte qui n'est plus toute jeune lui est défavorable et affecte les mères «tardives».

Pourtant, la crainte des femmes de ne pas paraître assez jeunes aux yeux de leurs enfants, telle que la manifeste Mme C., est rare, ou du moins font-elles tout ce qu'il faut pour rester en forme. «Je pensais à l'âge, mais pas par rapport à l'enfant. J'y pensais dans ma vie, toujours étonnée d'avoir 34...35...36 ans sans m'apercevoir que le temps passait. J'ai maintenant 38 ans, nous dit Nicole, je ne peux pas y croire. Je ne m'étais pas fixé d'âge pour avoir un enfant parce que ça dépendait pour moi d'une rencontre propice, avec un père éventuel. J'attends maintenant mon premier enfant et je voudrais encourager les femmes à ne pas se laisser enfermer dans des limites qu'elles n'ont pas décidées. La minceur et l'âge sont des ghettos lancés par la mode, la publicité, par ceux qui «font» la silhouette féminine. Je suis sûre qu'on a un meilleur équilibre à mon âge, on est plus responsable de soi-même vis-à-vis du corps médical, de la société, de sa profession. On est capable de faire des choix sans les regretter aussitôt, tout ça est forcément bon pour l'enfant. Je ne m'inquiète pas de l'âge que j'aurai au fur et à mesure qu'il grandira. Si on a des problèmes avec son âge, on les a, avec ou sans enfant et à cause des images qu'on nous impose et qui nous coincent.» Ces images, par contre,

---

qu'elle est victime de l'image stéréotypée de la mère nécessairement jeune et belle lorsqu'elle a un bébé ou de jeunes enfants.

favorisent les hommes qui eux sont flattés d'être père « tardivement », sans être gênés d'avoir un peu de ventre ou les cheveux grisonnants.

Quant aux enfants, ils ont des idées sur l'âge, sans grand rapport avec la réalité. On conçoit aisément qu'à 5 ans, on puisse juger que 50 ans c'est la vieillesse. Si on parle chiffre, le nombre d'années les impressionne, mais ils ne remarquent pas le décalage d'âge entre leur mère et des mères plus jeunes. En grandissant, la qualité des relations qu'ils ont avec leurs parents ne semble guère fonction de l'âge de ceux-ci.

Dans un groupe de garçons et de filles ayant autour de 18 ans, nous avons entendu s'exprimer des préférences pour les grands-parents plus tolérants, disaient les jeunes, ce qui laissait à penser que des parents plus « âgés » feraient bien l'affaire. D'autres, au contraire affirmaient : « Des parents jeunes, c'est ce qu'il y a de mieux, on peut faire du vélo avec eux. » Une jeune fille conclut le débat avec une sagesse inattendue : « Mes parents quand ils m'ont eue avaient bien vécu, alors ils avaient de bonnes raisons de m'avoir. » L'âge n'apporte aucune incidence sur les rapports avec les parents.

3

INCIDENCE DE L'AMNIOCENTÈSE[1] SUR L'ATTENTE ET L'ACCUEIL DE L'ENFANT

Qui dit maternité «tardive» dit habituellement amniocentèse. Ce n'est pas un examen banal. Il a un retentissement certain sur l'attente et l'accueil de l'enfant.

Toutes les femmes le disent : le plus dur, c'est d'attendre le résultat pendant trois semaines. Si le laboratoire l'envoie avec quelque peu de retard, c'est la panique. On pense tout de suite que l'enfant est anormal, que l'on cache quelque chose à la mère.

Certaines ont du mal à accepter l'examen avant de se réjouir de l'avoir fait ; elles demeurent ambivalentes devant les possibilités offertes par la science. Ainsi, Annie raconte combien elle était nerveuse ce jour-là.

«J'avais 36 ans et je me disais qu'à 36 ans tout pouvait encore bien se passer. Je ne voyais pas pourquoi j'aurais un mongolien. C'est ma mère qui a insisté. Ça dure quelques minutes et pourtant j'avais aussi mauvaise conscience que si j'étais venue pour une fausse couche. On ne sent rien, mais

1. La Sécurité sociale ne rembourse en principe l'examen qu'aux femmes de 39 ans et plus. Mauvais calcul, si l'on sait ce que coûte un mongolien à la société alors que l'amniocentèse vaut 1 000 F.

ça m'a fait un choc. C'est une espèce d'intrusion. D'un côté je ne suis pas contre une certaine médicalisation de la grossesse, il vaut mieux mettre le maximum d'atouts dans son jeu, et en même temps, ça m'irrite, parce que la maternité c'est un acte naturel, ce n'est pas une maladie. Je suis contre les femmes qui ne profitent pas de toutes les cartes nouvelles qui leur sont proposées, mais cette haute médicalisation m'exaspère. De plus la ponction vous fait prendre encore plus conscience de votre âge. On se dit, attention, on ne peut plus faire un enfant comme ça. »

Il y a celles, peu nombreuses, qui refusent l'amniocentèse. Par principe, elles ont décidé d'accepter l'enfant désiré, qu'il soit normal ou non. D'autres craignent un avortement spontané ou que le fœtus ne soit blessé au cours de la ponction, ce qui en principe ne peut arriver, étant donné que l'échographie permet de repérer exactement la position du fœtus. Il y a encore celles qui préfèrent oublier le risque de mongolisme. Elles se rassurent en évoquant leur propre mère ou grand-mère qui a eu des enfants après 40 ans, sans problèmes.

Fait remarquable, les femmes qui attendent le résultat de l'amniocentèse avec une impatience toute justifiée — tant de femmes enceintes, quel que soit leur âge, vivant dans la crainte de mettre au monde un enfant anormal — ne retiennent souvent du résultat que ce qui leur paraît acceptable. Ainsi une femme à qui l'on annonçait une anomalie trisomique n'a pas voulu croire jusqu'à la naissance de l'enfant qu'il serait mongolien. Telle autre qui souhaitait avoir une fille, apprenant qu'elle attendait un garçon, a continué à confectionner des robes et quand l'enfant est né, ses premiers mots ont été pour demander si c'était une fille.

La mauvaise information ou l'absence d'information contribuent à dramatiser l'amniocentèse.

« J'ai refusé l'amniocentèse, dit Mme N. qui a eu son premier enfant à 39 ans, parce que le risque d'avortement spontané est multiplié par deux, je crois, on court 50% de risque de perdre l'enfant. » Or le risque est estimé à moins de 1%. « J'ai fait le tour de tous les gynécos que je connais, de toute la littérature, et personne n'a pu me préciser le pourcentage. Quoi qu'en disent les statistiques, je me demande si ce n'est pas plutôt une question de terrain que d'âge. Finalement j'avais trop peur qu'en faisant la ponction on ne pique l'enfant au germe qui donne naissance, au bras par exemple, et qu'il naisse avec un bras en moins. »

Une autre femme m'affirmait que l'examen n'était pas au point et que tous les médecins sont d'accord pour dire qu'il est délicat et dangereux pour le fœtus. Quand je lui ai demandé d'où elle tenait ses informations, elle m'a répondu qu'elle ne savait pas exactement... qu'elle avait entendu dire... qu'après tout, elle ignorait s'il y avait un réel danger ou s'il dépendait de la santé de la mère.

Peut-être verra-t-on surgir des résistances du corps médical à l'amniocentèse comme à la contraception en ses premiers temps et pour les mêmes raisons : absence d'information des médecins et mauvaise acceptation de la nouvelle liberté que prennent les femmes. Une future mère, suivie dans une grande maternité parisienne de l'Assistance Publique, m'assurait qu'une jeune femme médecin, elle-même enceinte, qui donnait « l'autorisation » de faire pratiquer l'amniocentèse, lui aurait dit : « Je m'y refuse pour moi, parce que ce sont des recherches extrêmement douloureuses qui coûtent très cher, il ne faut les faire qu'à des femmes qui présentent une maternité à gros risques. » « J'ai été vraiment obligée de me bagarrer, continua mon interlocutrice, en disant au médecin que je m'en voudrais toute ma vie si je n'essayais pas de bénéficier de la ponction. Je suis prête à payer ce que vous voulez, j'ai la chance de pouvoir le faire. En fait, je n'ai rien payé du tout, mais c'est presque sur recommandation que j'ai réussi à avoir l'examen. »

Bien entendu, tous les médecins ne sont pas à ce point hostiles à l'amniocentèse, mais il n'est pas exceptionnel d'entendre le genre de propos que nous venons de citer. Une femme en colère allait jusqu'à traiter de « criminels » les médecins qui laissent les femmes courir le risque d'avoir un enfant mongolien. Il faut ajouter qu'elle tenait à avoir l'enfant qu'elle attendait et que son gynécologue s'était permis de lui conseiller l'avortement, sous prétexte qu'elle allait se compliquer la vie avec un bébé, « à son âge », alors qu'elle avait déjà deux grands enfants.

Le rapport avec les médecins n'est pas facile. « On est accueillie assez froidement à la Maternité de X..., me disait Mme V. On ne vous encourage pas à avoir un enfant tardivement. Quand je suis venue demander une amniocentèse, on voulait savoir si mon mari était d'accord. Je crois que si j'avais répondu négativement, ils m'auraient dit de réfléchir davantage. On est tarée à 35 ans. Il voudraient tous qu'on ait des enfants à 20 ans. C'est une politique générale que d'effrayer les femmes. C'est une forme de pouvoir très subtil qui s'excerce sur elles. On a l'impression d'être manipulée, infantilisée. Le gynéco que j'ai vu est patron de l'hôpital. Il n'ouvre pas la bouche, ou bien il parle pour ne rien dire. On ne peut pas poser de questions, on repart sans savoir quoi que ce soit. A 300 F la consultation, il se donne bonne conscience en faisant un minimum de baratin avec une modulation rhétorique qui vous en impose, même à moi qui pourtant suis prof et qui ai de l'abattage. »

Les savants publient, remarquait le Pr Raymond Vande, chef du département de gynécologie et d'obstétrique de l'université de Columbia, à New York, le médecin qui garde son secret n'est pas un médecin.

Une des conséquences mal connue de l'amniocentèse, parce que l'examen est encore trop peu répandu[1], concerne l'attente et l'accueil de l'enfant à partir du moment où l'on peut connaître son sexe, puisqu'on a identifié les chromosomes du fœtus.

Doit-on craindre que, dans l'avenir, les femmes ne se fassent avorter lorsque le sexe de l'enfant attendu ne sera pas celui qu'elles voulaient ? Je ne le crois pas. Celles qui le feront auront plutôt découvert qu'elles ne voulaient pas l'enfant. Pour ma part, j'ai toujours trouvé immoral de donner le jour à un enfant qui n'a pas été désiré. J'ai du respect pour cette femme, qui, enceinte pour la première fois à 36 ans, sans l'avoir prévu, et tenant à ce que la venue d'un enfant soit choisie et préparée, décidait de se faire avorter, bien que ce fût une merveilleuse découverte de s'apercevoir qu'elle n'était pas stérile, comme le lui avaient fait craindre les médecins. Elle vient d'avoir un enfant, à 38 ans, attendu dans la joie et manifestement heureux d'être sur cette terre.

On demande toujours à la future mère si, avec le résultat de l'examen, elle désire être informée du sexe de l'enfant, parce qu'on peut se contenter de lui indiquer si le caryotype est normal ou non. La plupart des femmes enceintes répondent affirmativement, ajoutant le plus souvent qu'elles sont si contentes d'attendre un enfant que le sexe importe peu. La majorité de celles qui ont répondu négativement — cela semblerait plutôt le fait des intellectuelles — reviennent dans les quinze jours sur leur refus.

Dès lors l'attente de l'enfant est autre. A l'opposé de la femme qui continuait à espérer une fille, alors qu'on lui avait précisé qu'elle attendait un garçon, j'ai entendu une femme me dire : « On a profité du fait qu'on savait le sexe de

1. Les femmes âgées de plus de 38 ans donnent chaque année naissance à 27 000 enfants. Le nombre des amniocentèses est de 3 600, alors qu'il est de 38 500 en Grande-Bretagne. (Le Monde de la Médecine, 30 juin 1982.)

l'enfant pour s'habituer petit à petit à l'idée que ce serait une fille, alors que mon mari et mon fils auraient voulu un garçon. On a continué tout de même à chercher un nom de garçon, pour le cas où... On n'arrivait pas à trouver un prénom de fille, puis c'est venu et j'ai apprécié d'avoir deux mois devant moi, plutôt qu'un choc brutal, à la naissance.»

Grâce à l'amniocentèse, peut-être y aura-t-il moins de garçons traités en fille, ou l'inverse, avec toutes les répercussions que l'on sait sur l'enfant, puis sur l'adulte qu'il devient.

Pour la mère prête, dès le début de sa grossesse, à accueillir l'enfant, quel qu'il soit, avec bonheur, savoir le sexe peut lui apporter un supplément de joie. Elle nomme l'enfant, elle lui parle comme si elle le connaissait déjà.

«J'ai tout de suite donné un prénom à ma fille, dit Geneviève, elle s'est appelée Gisèle. On lui avait même trouvé un surnom dans la famille et là où je travaillais on me demandais des nouvelles de Gisèle. Quand on parle au bébé qu'on a dans le ventre, c'est plus intéressant de connaître son sexe, on se prépare mieux à vivre ensemble. En nommant ma fille cinq mois avant sa naissance, je me la créais, je faisais des projets avec elle, c'était vraiment la mère et la fille qui discutaient ensemble. Quand elle bougeait, c'était le pied de Gisèle qui bougeait, je vivais plus intensément ma grossesse. Il m'est difficile de démêler ce qui est dû à l'amniocentèse et au fait que j'avais 36 ans et que je vivais la maternité tout autrement qu'à 20 ans, quand j'attendais mes deux premiers enfants.»

Contrairement à Geneviève, Mme D., 37 ans, que j'ai rencontrée enceinte de huit mois, m'explique pourquoi elle regrette d'avoir dû faire une amniocentèse.

«Je ne m'étais pas fixé d'âge pour avoir un enfant, puisque ça dépendait d'une rencontre avec quelqu'un qui pourrait être le père de l'enfant. Je me disais qu'à 40 ans, si je ne l'avais pas rencontré, je m'interrogerais sur ma vie, sur mon désir d'enfant. Était-il vraiment plus fort que le non-désir qui existait aussi quelque part ? Quand j'ai reçu le résultat de la ponction — résultat normal — , j'ai pleuré pendant trois jours. J'ai d'abord cru que c'était parce que je voulais une fille. D'un point de vue narcissique, je pensais que c'était plus facile d'avoir une fille à mon image et j'attendais un garçon. Puis, je me suis aperçue que mes larmes venaient beaucoup plus du fait de connaître le sexe que de la déception que ce ne soit pas une fille. J'étais enceinte de quatre mois et je ne voulais pas savoir trop de choses sur l'enfant. Ça me coupait complètement d'une partie de l'imaginaire de la grossesse, de l'enfant imaginaire. J'ai compris plus tard que mon envie de fille n'était pas claire et que j'avais autant envie d'un garçon. Mais là n'étais pas l'enjeu. Je trouvais prématurée et agressive l'irruption de la réalité, au quatrième mois de la grossesse. Je pense qu'on a besoin des neuf mois d'incertitude et de mystère, d'affabulation sur l'enfant et je n'avais pas envie que la moitié du rêve soit escamoté. Je trouvais frustrant de ne pas rester dans le « tout est possible ». Je n'arrive pas à me décider pour un prénom, j'en sais déjà trop pour vouloir en plus donner un nom à l'enfant. J'en ai marre de savoir et en même temps, je reconnais que l'amniocentèse, c'est rassurant. Par moments, je me dis : assez de l'hôpital, assez des prises de sang pour ci, pour ça, qu'on me fiche la paix. On a besoin dans l'attente d'un enfant d'un minimum d'information, mais pas de savoir *tout.* »

Un champ de recherches sur les conséquences de l'amniocentèse sur l'attente et l'accueil de l'enfant s'ouvre à nous. Il ne manquera pas de susciter des controverses.

4

L'ENFANT « TARDIF »

Il est grand temps de parler de l'enfant. On sait que la mortalité infantile est particulièrement faible quand la mère a un travail professionnel. Elle est en effet une femme mieux informée et donc plus soucieuse de se conformer aux règles d'hygiène favorables à sa santé et à celle de l'enfant qu'elle porte. D'innombrables travaux montrent aussi que les enfants des mères ayant une activité professionnelle sont plus sociables, plus entreprenants, ils ont moins souvent recours à des services psychiatriques que les enfants de mères frustrées de ne plus travailler, devenues souvent nerveuses, tyranniques, exigeantes à l'excès.

Les mères « tardives » semblent peu possessives. Elles continuent d'attacher de l'importance à leur vie personnelle et, fait nouveau, elles le disent à l'enfant. « Ma fille a 4 ans, j'avais 38 ans à sa naissance. Elle est très indépendante, je souhaite qu'elle le reste. Il ne faut pas être vingt-quatre heures sur vingt-quatre avec un enfant, c'est dévorant. J'ai emmené ma fille à mon bureau, pour qu'elle voie mon lieu de travail. Je veux qu'elle comprenne qu'elle est très importante pour moi, mais que j'ai aussi ma vie à mener, tout comme elle doit mener la sienne. Je ne suis pas seulement une mère à sa disposition et à celle de son père. » Un tel comportement amène-t-il l'enfant à avoir de l'admiration pour sa mère en plus de l'amour qu'il lui porte ? On peut l'espérer.

Quand l'enfant « tardif » a des frères et sœurs bien plus âgés que lui, les mères disent qu'il contribue à resserrer les liens entre ceux-ci. « La famille est plus soudée, depuis la venue de ma dernière fille. Mes grands fils se sentent responsables de leur petite sœur, ils ont de meilleurs rapports entre eux du fait qu'elle les aide à dépasser leurs tendances égocentriques. Ce qu'ils ont de plus précieux en eux, ils le lui donnent. »

Tout comme nous réclamons un autre accueil de la mère, il reste à améliorer l'accueil de l'enfant par la société. D'où vient que nous nous lamentions sur le vieillissement de la population sans pour autant faire place convenablement aux enfants ? Dans l'espoir de voir remonter la courbe de la natalité, les solutions les plus souvent avancées concernent l'allongement des congés parentaux ou les primes à la naissance, qui pourtant ne semblent guère stimuler les couples. Mais dans le même temps, on supprime des classes enfantines, si bien qu'à chaque rentrée scolaire nombre d'enfants n'ont pas de place à la maternelle. Les terrains d'aventure ont peu à peu disparu dans les grandes villes ; quant au problème des crèches, il n'a été que trop ressassé, mais en vain : horaires rigides, incompatibles avec la vie des parents (sait-on qu'en Suède il y a des crèches de nuit ?), proportion infime d'enfants qui peuvent en bénéficier, bien que l'aspect socialisant de ce genre d'institution ne soit plus à rappeler. Trop coûteuses, les crèches, nous dit-on, mais le budget militaire ne cesse de s'accroître, alors que miser sur le bien-être de l'enfant devrait être le premier souci de ceux qui votent le budget national.

Nous avons accumulé en moins d'un demi-siècle un savoir considérable sur les besoins de l'enfant, sur son développement moteur et psychique et l'importance à attacher à ses premières années. Comment se fait-il que nous en fassions si peu usage dans l'organisation quotidienne de la vie ? Aurions-nous peur de donner un goût excessif de la liberté et de l'égalité des sexes à nos enfants ? Comment a-t-on osé laisser circuler jusqu'à nos jours, dans les classes élémentaires, des manuels réédités presque sans changement depuis trente à quarante ans, perpétuant des stéréotypes nuisibles à l'évolution des rapports entre femmes et hommes[1] ?

Si les petits humains, quel que soit leur sexe, prenaient conscience plus tôt de leur potentiel, sans avoir à se conformer à des images qui les emprisonnent, ils assumeraient mieux leur propre identité une fois adultes.

Tout est conçu en termes de rentabilité et de rentabilité mal calculée, si l'on songe à ce que nous dépensons pour les enfants perturbés par notre faute, parce que nous n'avons pas assez le souci de leur développement harmonieux.

Où sont les espaces protégés ouverts et couverts qui devraient être réservés aux enfants à proximité de tout groupe d'habitations ? Réponse : les promoteurs font la loi, ils n'ont pas un pouce de terrain à perdre. On me citait le cas d'un lotissement où un espace pour les enfants devait être prévu. On leur attribua un petit bout de terrain pentu, sans ombre, dans le Midi où l'on se met volontiers à l'abri du soleil, si bien que les enfants jouent entre les maisons et les voitures, quand le gardien, chargé de veiller à la sacrosainte tranquillité des adultes n'est pas à les pourchasser. Nous supportons le bruit de nos autos, mais pas celui des enfants qui jouent.

---

1. L'association « Pour une école non sexiste » fait circuler une exposition sur ce thème qui va enfin retenir l'attention des parents et des enseignants sur ce problème.

Les exemples de notre carence à donner à l'enfant le minimum d'espace et de bien-être sont innombrables. On parle davantage de l'absence de crèches que du scandale des cantines scolaires, si bruyantes, avec des repas si mauvais qu'on en demeure stupéfaits. Si nous étions plus accueillants pour les enfants, qu'il s'agisse des nôtres ou non, nous pourrions par exemple adopter le système en usage en Chine, dans les grandes villes où les écoliers mangent au plus près de leur école, dans un restaurant du quartier, sous la bienveillante surveillance des adultes qui se trouvent là.

A en juger par les témoignages recueillis dans une école primaire d'un quartier populaire de Paris, nous avons fort à faire, avant de réclamer plus d'enfants, pour qu'ils se sentent à l'aise dans notre société.

« Les parents croient que les enfants sont heureux, dit une petite fille de 7 ans, mais je ne suis pas heureuse, car ma mère a toujours peur qu'il m'arrive quelque chose. » Et d'évoquer la traversée de l'avenue au bord de laquelle elle habite et son trafic intense, ou la rogne des voisins dès que l'on fait un peu de bruit en jouant. Et le petit Pascal d'ajouter : « On voudrait une chambre pour soi tout seul, on voudrait des terrains où les enfants feraient ce qu'ils voudraient, des arbres, des animaux et *que les gens nous aiment.* »

Ne serions-nous pas inconsciemment contre la spontanéité, l'imprévu, l'imagination, bref contre tout ce qui caractérise l'état d'enfance, et en revanche pour l'ordre, les chemins tracés, l'obéissance à nos différents pères ?

Que les femmes qui vont maintenant avoir un enfant soient jeunes ou moins jeunes, il faut souhaiter qu'elles s'engagent à lutter là où elles vivent, là où elles travaillent pour un monde où l'enfant ait sa place et où cela vaille la peine de donner la vie.

Il n'y a pas à notre connaissance de société ayant su

accueillir l'enfant comme il se devrait. C'est à nous d'innover dans ce domaine. Il est à parier que les mères « tardives », fortes de leur expérience et des obstacles qu'elles ont à surmonter, parce que femmes, montreront la voie.

DEUXIÈME PARTIE

MATERNITÉ ET PROJET DE VIE

par Colette Berger-Forestier

5

LA NOTION DE PROJET

Les hommes s'organisent entre l'autonomie et la dépendance, ils installent entre ces deux extrêmes des brèches, des constructions où l'on a parfois du mal à saisir ce qui leur offre déjà de l'autonomie et ce qui leur impose encore une dépendance. Ils s'inscrivent dans des réseaux sociaux ou ne s'y inscrivent qu'à peine, certains s'affirment dans des projets, d'autres ont du mal à « devenir ». Ceux-ci sont confinés dans l'étroitesse des codes sociaux, ceux-là tentent des aventures personnelles. Écouter les gens parler d'eux-mêmes, nous écouter, c'est entendre de discrets désordres ordonnés, c'est inquiétant parfois. Un fil conducteur arrange bien les choses, une idée derrière la tête éclaire l'ombre, les fouillis et déterre ce qui à première vue se cachait. Ce fil, pour moi, ici, c'est tout ce qui gravite autour du « projet », mais le mot est décevant, sec, il se réfère à trop de choses et à pas assez. Les dictionnaires disent qu'il s'agit d'« un but qu'on pense atteindre, l'idée que l'on forme de ce que l'on fera et des moyens qu'on emploiera ». Personnellement, j'utiliserai le mot *projet* pour indiquer ce qui a trait à la relation à soi face à une intention qui peut s'accentuer jusqu'à devenir un but. Je voudrais en même temps impliquer et la connaissance, voire l'estime que l'on a de soi, la façon dont on se vit, et la « volonté d'être au monde en faisant quelque chose qui donne du sens à sa vie ».

Pourquoi ai-je choisi de rencontrer des femmes ayant eu des enfants tard dans l'intention d'explorer la notion de projet ? A la limite, c'est incongru !... On interroge une jeune femme d'affaires, un cadre dynamique, une militante syndicaliste, une élève brillante, mais pas une mère tardive. Le mot projet d'abord résonne avec jeunesse, avec carrière, avec des choses à mener, mais pas avec maternité. Pourquoi s'entêter dans cette direction à rebours ?

J'ai toujours pensé que faire un enfant, c'était beaucoup plus que naturel, beaucoup plus que culturel, c'était s'affirmer brusquement dans l'avenir, c'était s'installer dans le monde avec du futur dans les bras, avec des intentions plein la tête, c'était peut-être soudain avoir l'amour de l'humanité comme pesanteur, mon enfant m'offrant le large de la planète pour aimer. Évidemment, c'est très personnel, mais avec les naissances de mes trois enfants, tardifs en l'occurrence, j'ai toujours ressenti l'enfantement comme cette invitation. Évidemment, les circonstances, la vie quotidienne et toutes les offres d'obéissance qui nous submergent, invitent les femmes à croire qu'elles sont dépossédées du futur, qu'elles ne sont que poussière de foules immenses qui pullulent dans chaque nation : des grands, des puissants, des entrepreneurs, des savants détiennent le monde, elles, avec leur fœtus, puis leur bébé sont effacées. Et dans cet effacement, la naissance devient totalement étrangère à la notion de projet tel que nous l'avons défini. Par contre, du côté des maternités tardives, certaines parlent ce langage. Certes, il y a mille façons d'avoir tard un enfant, mille façons d'être sa mère : des femmes divorcent, et se remarient, refont des enfants, parfois pour se prouver qu'elles sont jeunes,

« recommencent leur vie », d'autres ne rencontrent que tard leur conjoint, il y en a qui se révèlent fertiles, au moment où l'on croyait leur stérilité définitive, enfin certaines ont utilisé autant leur volonté que le hasard pour s'engager dans la maternité au moment où d'autres sont presque grand-mères.

Parmi celles-ci, quelques-unes ont manifesté des exigences à la limite surprenantes. Ces exigences seraient leur point commun : elles ont toutes lutté pour avoir une profession qu'elles appréciaient, qui de surcroît était valorisante et leur offrait un statut social, un salaire susceptible de leur assurer une autonomie et du plaisir dans l'exercice de leur fonction, elle ont toutes accumulé une compétence, un savoir-faire en se construisant elle-mêmes et en y puisant des bénéfices. Dans cette évolution supposée, il y a une reconnaissance sociale qui confirme ces femmes dans leur rôle. Elles existent précises et légitimées par leur faire, elles se trouvent dans des réseaux de significations multiples. Elles n'appartiennent pas à l'exclusif champ familial.

La vie quotidienne « à la maison » présente le risque d'être réductrice : la répétition des tâches et des rythmes, l'intensité que peut prendre la vie affective à propos d'événements dont l'importance est sans rapport avec leur signification, constituent un monde clos, dense, où les projets — s'il y en a — deviennent des éléments constitutifs de dépendance mutuelle plus que de création. Si « faire de la politique, c'est empêcher les gens de s'occuper de leurs propres affaires », être femme au foyer, c'est parfois s'empêcher de réaliser ses propres capacités. Il est évident qu'il s'agit là d'une caricature, que bien des femmes au foyer ont des activités par exemple associatives ou autres qui prennent la place d'un travail professionnel.

Si nous n'avons pas rencontré d'ouvrières ni de paysannes qui dans d'autres contextes ont des enfants tardifs, c'est uniquement parce que le poids des pressions sociales, l'importance des incertitudes en matière d'emploi, de logement et autres les mettent dans des situations totalement différentes, qui nécessitent une tout autre étude.

Enfin si nous n'avons pas vu de pères tardifs, c'est essentiellement parce que, dans notre imaginaire, la responsabilité biologique comme l'échéance de la rupture ménopausique faisaient de la femme l'interlocutrice première, mais il n'est pas sûr qu'une prochaine étude ne leur soit pas consacrée...

Quoi qu'il en soit, nous avons quitté le plan de la survie, de la nécessaire reproduction de l'espèce dans sa nudité et ses chiffres. Nous avons quitté la naissance représentée au cours des siècles par des images de maternités contemplatives, au sein offert au nourrisson, au visage jeune d'une femme tout à l'enfant, femme paisible, hors conflit, audessus des guerres. Ces femmes-paix, emblèmes de la certitude que notre espèce traversera le temps malgré les intempéries, nous les troquons ici contre des femmes de 40 ans, toutes au monde et à l'enfant, toutes actives et éventuellement dans les conflits de la réalité . Elles ne voient pas en la naissance que la survie de l'espèce, mais le développement d'êtres humains dont elles tiennent à assumer la responsabilité. Nanties d'une identité, elles veulent pouvoir être non seulement nourricières de leur enfant mais aussi compagnes de leur épanouissement. Elles considèrent leur petit comme un être à part entière avec d'emblée une tendance à l'autonomie. C'est à travers ces intentions qu'on a voulu les rencontrer, comme si ces maternités tardives étaient avant tout des maternités-projets.

6

S'AFFRONTER AU CORPS MÉDICAL

La vie hors influence est un mythe. Toutes les femmes de 40 ans qui veulent un enfant dans nos pays affrontent tôt ou tard le corps médical et un certain climat qui en émane. Échappant en partie aux données scientifiques, ce climat est en rapport avec la mode, l'évolution des mœurs, la relation médecin-malade et une relation moins précise, celle de l'univers privé à l'univers du savoir. Chaque femme le ressent différemment, certaines le perçoivent à peine ; c'est pourquoi il ne sera pas question de le décrire, mais simplement d'en indiquer des éléments créateurs.

Les médecins proposent des « faits », base du dialogue qu'ils auront avec les femmes. Pour mieux cerner ce dialogue, on distinguera trois phases dans l'approche de la maternité tardive.

Il y a une centaine d'années, la grossesse tardive n'intéressait personne. On en savait peu de chose, les femmes avaient beaucoup d'enfants, quelques-uns forcément tardifs. A l'approche de la ménopause, certaines se trouvaient inopinément enceintes.

Après la Première Guerre mondiale, des études globales statistiques mettent en évidence l'augmentation de la fréquence du mongolisme avec l'âge de la mère. Rien, ou presque rien n'a été découvert à propos de l'origine du mongolisme, hormis sa nature chromosomique. Pour les femmes, c'était brusquement une fantastique incertitude.

Suivant les médecins, on leur disait qu'après 35 ans, « c'était très dangereux » d'avoir un enfant car il y avait alors une forte probabilité qu'elles aient un enfant mongolien. D'autres, plus précis, se permettaient d'indiquer quelques chiffres : par exemple, certains estimaient, à 27 ans, le pourcentage de mongolisme à 1/2 000 naissances, alors qu'à 36 ans il s'élèverait à 1/500, puis à 40 ans à 1/175.

Que se passait-il ? Trois cas pouvaient se rencontrer :

— ou la femme, face à cette probabilité, n'ayant alors aucun procédé efficace pour modifier cet avenir, refusait le risque et abandonnait son projet dans un état de frustration plus ou moins important ;

— ou elle faisait comme si elle n'avait pas compris, voire elle niait cette information, « ça peut arriver aux autres, mais à moi, ça n'arrivera pas... » Bref elle s'engageait dans une grossesse apparemment paisible ;

— ou la femme prenait le risque consciemment, vivait neuf mois de grossesse plus ou moins dans l'angoisse suivant son tempérament : soit elle accouchait d'un enfant sain, ce qui est quand même de loin le plus fréquent, soit exceptionnellement d'un petit mongolien, et devait affronter cette maternité lourde de conséquences.

En 1972 est introduite en France une technique permettant de faire le diagnostic du mongolisme au début de la grossesse : il s'agit de la ponction amniotique ou encore amniocentèse. Un tel examen, permettant un avortement éventuel en cas de mongolisme, a grandement modifié l'avenir de la maternité tardive. On passe de la notion de risque, de probabilité, à une certitude suffisamment précoce pour pouvoir agir.

Autrement dit, après l'ignorance du début du siècle, on vit pendant plus de cinquante ans dans l'angoisse et la menace. Cette menace existe toujours mais il est devenu possible de savoir et de décider.

Dans les comportements des femmes et des médecins persistent des résidus des deux premières phases.

Quoi qu'il en soit, la ponction amniotique (PA) inaugure à n'en pas douter une nouvelle phase exploratoire de la vie fœtale. Cet examen doit se réaliser en milieu obstétrical, entre la 16e et la 18e semaine après la date des dernières règles, après un repérage du fœtus grâce à l'échographie. L'échographie est un examen radiologique utilisant des ultrasons qui, contrairement aux rayons X, sont totalement inoffensifs pour l'enfant et la mère. L'image est reçue sur un écran de télévision, le bébé est ainsi visualisé sans danger dans sa forme et ses mouvements. Cet examen a été mis au point dès 1958 mais introduit en France une dizaine d'années plus tard. Après repérage de la position du fœtus, on peut piquer — à travers le ventre de la mère — la poche amniotique sans risquer de léser l'enfant. Cette poche entoure le bébé, le protège et participe à sa nutrition. Elle est remplie de liquide amniotique et contient des cellules de l'enfant à partir de la 16e semaine. Avec une seringue spéciale on aspirera en même temps que du liquide (15 à 20 ml) quelques cellules fœtales qui seront mises en culture pendant environ trois semaines afin d'obtenir une nappe cellulaire.

Grâce au microscope électronique, sur le noyau des cellules, on examinera les chromosomes de l'enfant : on y lira son sexe puisque ce dernier est inscrit dans la forme même des chromosomes, et parfois des anomalies chromosomiques telles qu'on les rencontre dans le mongolisme ou trisomie 21. La réponse sera donnée aux parents à la 20e semaine environ. Cet examen est actuellement pris en charge pour les femmes de 40 ans et plus par la Sécurité sociale qui a passé une convention avec une vingtaine de laboratoires habilités à réaliser ces recherches et réunis en association. Le coût de ce diagnostic prénatal est d'environ 1 000 francs. Il faut insister sur le fait suivant : ces examens doivent être faits en milieu obstétrical, par un médecin qui ponctionne régulièrement car la finesse du geste et sa qualité clinique sont indissociables de cette technique. Un accoucheur gynécologue qui ponctionnerait une fois de temps en temps ne donnerait pas la sécurité requise à ce type de ponction. L'équipe obstétricale doit être en relation étroite avec le service de conseil génétique et le laboratoire. La prévention prénatale dépend de la bonne coordination de ces trois équipes.

« La ponction amniotique peut entraîner des complications essentiellement mineures (petit écoulement de liquide amniotique, contractions, douleurs) sans conséquences sur la suite de la grossesse, mais elle peut aussi provoquer un avortement spontané. » Dans les conditions indiquées plus haut, l'avortement ne *survient actuellement que dans 0,5 % des cas (soit 5 cas sur mille)*. La femme, le couple doivent être prévenus de cette possibilité, de sa fréquence, de même qu'on aura eu soin de leur signaler le délai nécessaire de la réponse du laboratoire. Quand cet avortement a lieu, c'est dans les jours qui suivent la ponction. Le bruit court qu'en piquant on peut atteindre l'enfant, le rendre invalide ; une femme citait un enfant né manchot, une autre avait demandé si on n'aspirait pas la substance cérébrale en même temps que le liquide amniotique !... Une imagerie fantastique peut émerger dans les discours — imagerie de la piqûre, imagerie de l'aspiration — et accroître l'anxiété tout à fait légitime des femmes qui demandent cette ponction. Il faut dédramatiser cet examen sans pour autant le considérer à la légère et l'entreprendre sans précaution, sans exigence. On cherchera l'équipe compétente, ou plutôt les trois équipes compétentes dont nous avons parlé, on rencontrera au cours d'un entretien le médecin qui fera la ponction. On ira faire cet examen calmement et on tentera d'avoir également du temps dans la suite de la journée. Il est important de se sentir en confiance dans le milieu hospitalier que l'on aura choisi, car piquer le ventre d'une femme enceinte n'est pas anodin. Ce geste peut être perçu dramatiquement si la femme est traitée comme un numéro, dans l'anonymat, sans possibilité de point de repère... Le monde symbolique de chacun de nous est à prendre en compte, l'univers fantasmatique de la femme enceinte en particulier ; la technicité de plus en plus forte ne l'efface pas mais l'envahit et le transforme. On ne sait rien encore sur les conséquences psychologiques qu'aura peut-être la visualisation anticipée du nourrisson grâce à l'échographie, rien sur l'accueil réservé à l'enfant dont on sait déjà le sexe, rien sur la transformation des parents, mais *a priori* on peut supposer que ces innovations modifieront nos comportements.

RISQUE DE TRISOMIE 21 EN FONCTION DE L'AGE MATERNEL (Victoria-Australia — 1942-1957 Collmann et Stollen 1962)

ÂGE	*10/19*	*20/24*	*25/29*	*30/34*	*35/39*	*40/44*	*45 +*
RISQUE	$\frac{1}{2370}$	$\frac{1}{1600}$	$\frac{1}{1200}$	$\frac{1}{870}$	$\frac{1}{300}$	$\frac{1}{100}$	$\frac{1}{46}$

Source : «Human Genetics» *Problems and Approaches,* F. Vogel and A.G. Motulsky. Édité par Springer-Verlag. Berlin, Heidelberg New-York, 1979.

Actuellement, un tel examen influence différemment les femmes. Certaines ne tiennent compte apparemment de leur grossesse que du jour où elles ont les résultats comme s'il leur fallait la certitude que leur enfant ne soit pas mongolien pour se donner le droit de mener à terme leur grossesse et en prendre entièrement conscience. Est-ce une réaction de défense contre l'angoisse d'un éventuel avortement difficile... Contre les réactions de leur famille, de leur milieu ? Est-ce le fait que lorsqu'on désire un enfant vers 40 ans, c'est l'enfant qu'on désire et non l'attente d'enfant, la grossesse en soi ?

Même si la ponction amniotique ne peut dépister qu'une centaine de maladies héréditaires métaboliques ou génétiques, même si l'échographie ne visualise précocement qu'un certain nombre de malformations organiques, ces examens provoquent un bouleversement dans l'avenir des possibilités d'interventions prénatales, dans l'avenir de la prévention.

En effet, cette prévention, dont bénéficient actuellement surtout des femmes à l'approche de la quarantaine, aura des indications ultérieures beaucoup plus larges. Elle résulte principalement de l'activité des centres de diagnostic prénatal dont le premier en France a été créé par l'INSERM, dirigé par André et Joëlle Boué, dès 1973. Ce diagnostic prénatal est, comme nous l'avons vu, un acte qui « ne se limite pas à une simple technique mais repose sur un ensemble coordonné de consultations et d'examens qui doivent offrir aux parents non seulement la fiabilité des techniques mais aussi un bon entourage médical et psychologique, le diagnostic prénatal pouvant en effet conduire à une interruption de grossesse, ce qui représente une épreuve pour la famille[1]... »

1. A Boué, J.-C. Freyfus, J. Rosa : « Diagnostic prénatal aujourd'hui et demain. Bilan et perspectives », dans *Communiqué de l'INSERM*, Service Presse Information, 101, rue de Tolbiac, 75645 Paris Cedex.

Mais le diagnostic prénatal n'est-il pas également traumatisant lorsqu'il nous oblige à affronter notre hérédité, ce qui nous a été transmis et ce qu'on peut à notre tour transmettre, lorsqu'il nous fait apercevoir la « chaîne » génétique dont on n'avait jusqu'à présent aucune idée précise ?

Après avoir évalué le risque héréditaire, maladie métabolique ou chromosomique, le généticien propose ou non des examens dont essentiellement la ponction amniotique. Insistons sur le fait qu'accepter cette ponction, c'est envisager l'éventualité d'une interruption de grossesse qu'il n'est pas question évidemment d'imposer à la femme. Si une telle décision n'est pas acceptée, les examens en vue du diagnostic prénatal ne seront pas faits. Si les parents sont d'accord, on doit les avertir des conditions dans lesquelles serait fait cet avortement nécessairement tardif (20e semaine). Certains médicaments, comme les prostaglandines, permettent une évacuation du fœtus la moins traumatique possible, mais peu de services actuellement savent manipuler ces produits. Souvent des obstétriciens feront une césarienne.

Quoi qu'il en soit, ces avortements dont on parle peu sont actuellement peut-être à considérer comme les échecs de la prévention. Ils sont souvent laissés dans l'ombre alors qu'ils devraient être intégrés totalement à l'effort préventif et thérapeutique engagé. Quand on cherche à savoir si les femmes avortées pour mongolisme sont par la suite enceintes, comme on pourrait s'y attendre (et ce serait le seul indice de réussite totale de la prévention), on répond que malhcurcusement elles ne le sont que très rarement. Ne les sauverait-on du mongolisme que pour les rendre stériles ? Pourquoi cet échec ? Il y a sans doute plusieurs réponses à proposer. Était-ce leur dernier cycle et cet accident en serait d'autant plus tragique ? Est-ce la façon dont elles ont vécu cet avortement, le plus souvent dans un milieu qui refuse de comprendre leur histoire ? On m'a cité le cas d'une femme de

40 ans qui, dans un service hospitalier du Sud-Ouest, s'est trouvée avec les IVG (Interruption Volontaire de Grossesse), dans une chambre avec un berceau... cette femme parlait de la façon dont on « l'avait détruite pendant ce séjour hospitalier ». Des médecins me disaient qu'actuellement ces avortées pour mongolisme étaient littéralement « saccagées ». Sous le progrès manifeste engendré par l'amniocentèse, ne persisterait-il pas un « anti-progrès » dont on doit parler davantage, même si ces cas sont effectivement très rares. On abandonne ces femmes : tout se passe comme si elles quittaient la scène noble de la prévention victorieuse où les gestes sont valorisés, pour tomber dans les salles du fond où sont pratiquées de sinistres routines. On ne vérifie pas ce qui les a conduites là ; parfois même des consignes données pour les femmes demandeuses d'IVG sont appliquées automatiquement à ces autres femmes qui ne demandaient qu'une chose, avoir un enfant (par exemple on leur prescrit la pilule !...).

On a du mal à affronter ce qui constitue l'ultime conséquence de ces nouvelles techniques et pour plusieurs raisons, sans doute... La femme de 40 ans avortée pour mongolisme est à la fois exceptionnelle et peut-être extrêmement fragile, elle ne représente rien de significatif quantitativement et son cas historiquement est sans modèle. A la limite, son drame passé est oublié et le désir d'enfant d'une femme de cet âge, tout poignant qu'il puisse être, est encore difficilement perçu : n'est-il pas « incohérent » pour bon nombre de médecins ? Enfin, ne seraient-elles pas comme des victimes, qui auraient à payer quelque tribut à cause de la « souillure », du mal qu'il y aurait à ne pas accepter la marque du destin ?... Et ces femmes, peut-être culpabilisées au fond d'elles-mêmes, sont prêtes à se taire, à ne plus rien demander. La ponction amniotique est un examen qui nécessite non seulement une mise au point technique mais également qu'on aborde les conséquences qu'elle entraîne, qu'on tente de déchiffrer ce qui se joue dans l'enfantement tardif volontaire, et dans l'éventuelle décision de rejet d'un enfant anormal. Sans pouvoir ici analyser le champ conscient et inconscient de la femme qui a porté un fœtus mongolien, qu'elle a vu se mouvoir dans son corps, à l'échographie, et qu'elle abandonne, il semble évident que cette femme puisse avoir besoin d'une aide pour passer un tel cap et mettre au monde bientôt l'enfant qu'elle désire. L'aide ne doit pas se résumer à quelques bonnes paroles ou gestes affectueux mais doit reposer sur une thérapie d'appoint fondée sur des recherches à faire ou en cours effectuée par des professionnels compétents. Le conseil génétique doit être lié à ces approches car informer les gens sur leur hérédité a nécessairement de profondes résonances. Est-ce médicaliser à outrance, ou est-ce chercher, à tâtons, à manipuler au mieux les nouveaux outils que le progrès scientifique livre à la consommation ? Est-ce maîtriser demain autrement ? Quoi qu'il en soit, ce problème est trop vaste pour être abordé ici, mais une des femmes que nous avions interviewées avait soulevé cette question : « La vie nous dépasse... et ce serait une erreur épouvantable de vouloir tout maîtriser au niveau de la vie, les retours de médailles coûteront très cher... Se sentir dans un courant, être portée, est aussi quelque chose d'important... » Est-ce que plus notre espèce sera maîtrisée, plus elle sera fragile, plus elle oubliera ses facultés d'adaptation ? Peut-on passer de ces attitudes individuelles à des positions générales ?...

Mais revenons à l'autre innovation technologique dont nous avons à peine parlé, c'est-à-dire l'échographie.

Elle a, à son tour, révolutionné le savoir prénatal. Cet examen a fait d'énormes progrès depuis son apparition et fait partie dès maintenant des examens de surveillance des femmes enceintes. Notons que dès la 17e semaine on peut repérer des malformations rénales, digestives et du système nerveux central. Les malformations cardiovasculaires sont également perceptibles mais plus difficilement. La discrimination des malformations ira sans doute en s'accroissant, d'autant plus que s'associeront dans cette lecture échographique les obstétriciens, les pédiatres, les embryologistes, etc. Ce type d'équipe représentera un changement dans les habitudes médicales où chacun a un territoire en forme de chasse gardée. « Il semble actuellement que la technologie aille plus vite que l'intégration des données obstétricales dans la pratique quotidienne[1]. »

Malgré ces progrès en matière de dépistage, la maternité tardive reste toujours menacée par un certain nombre d'accidents qui peuvent compliquer la grossesse ou l'accouchement. Classiquement on estimait qu'après 35 ans étaient plus fréquents : l'hypertension artérielle, le diabète, les hématomes placentaires, des hémorragies, des difficultés pendant le travail à cause de l'état prétendu scléreux du muscle utérin, voire à cause d'un fibrome, une plus grande fréquence de présentation par le siège et la venue d'enfants hypotrophiques (pesant moins de 2,5 kg). Actuellement les avis sont partagés. Des enquêtes françaises[2], en 1978, ont révélé en particulier que l'hypertension artérielle, qui est en partie responsable des hématomes rétroplacentaires et de certaines hypotrophies fœtales, n'était pas plus fréquente chez les mères tardives correctement suivies. « Le déroulement des grossesses tardives et leur issue dépendant en partie de la qualité de la surveillance prénatale qui, si elle est bonne, permet la prévention des maladies gestationnelles... » Le risque de la prématurité ne serait pas modifié par cette surveillance car il est essentiellement lié aux condi-

1. *Tempo Médical*, n° 91, oct. 1981, G. Seligman, J.-M. Thoulon, faculté de Médecine Lyon-Sud.

2. Ministère de la Santé et de la Famille (direction générale de la Santé), Journée d'information, 13 octobre 1978 : « La femme de 40 ans aujourd'hui. »

tions socio-économiques. « La surveillance médicale de la grossesse, aussi minutieuse qu'elle soit, est insuffisante si elle n'est pas intégrée à une action globale en faveur de la femme enceinte, en particulier si elle ne s'accompagne pas d'une amélioration des conditions socio-économiques d'une catégorie d'entre elles. Ce n'est pas nouveau mais doit toujours rester présent à l'esprit en médecine. »

Un médecin américain, le Dr Rothes, s'exprime ainsi à ce propos mais sous un tout autre registre : « ... Ce que je considère comme vraiment important est l'individu, son éducation, son attitude... D'après les statistiques de l'hôpital, les difficultés sont plus nombreuses chez les mères pauvres et jeunes que chez nos patientes plus âgées... » Un autre praticien, le Dr Sidney Kane, dira que « l'idée d'âge arbitraire (35 ans) à partir duquel les risques d'enfantement augmentent doit être considérée comme un mythe qu'il faut remplacer par le concept plus logique d'une échelle mobile de danger[1] ». Ainsi il n'y aurait « pas de différence qualitative dans une grossesse après 35 ans. Il est peut-être plus risqué chez une primipare âgée d'avoir un enfant mais ces risques tomberaient dans les mêmes catégories de complications que sont susceptibles de subir des femmes plus jeunes. On s'attend simplement à les rencontrer plus fréquemment. La femme âgée attendant son enfant n'a pas besoin de traitement particulier, mais de bons soins médicaux de haute qualité, c'est-à-dire une équipe hospitalière et un médecin capables, grâce à leur expérience, de traiter toute la gamme de complications éventuelles liées à la grossesse et à l'accouchement ».

Les avis évoluent : les dramatisations diminuent, on reconnaît davantage l'importance des facteur socio-économiques, les déterminations individuelles. Si les condi-

1. *Vous n'êtes pas trop vieux pour faire un bébé*, de Jane Price, éd. Guy Anthier, Paris, 1977.

tions sont favorables, les équipes médicales compétentes, les femmes maîtresses d'elles-mêmes, désirer un enfant tard ne s'accompagne plus de la traditionnelle pathologie de maternités tardives. Il faut que les femmes le sachent, il faut que les médecins qui ont souvent en tête ce qu'ils ont appris pendant leurs études médicales le sachent également. Enfin les statistiques médicales, si utiles soient-elles pour mettre en évidence des aspects de la réalité invisibles sans ces vastes saisies horizontales que sont les données chiffrées, ces mêmes statistiques peuvent laisser dans l'ombre des données non médicales influençant des faits de santé comme la situation économique et sociale, la notion de désir d'enfant, etc. A la limite on pourrait envisager que la maternité tardive mette en évidence, grâce à son évolution, comment ce qui semblait des données immuables, liées à l'involution corporelle due à l'âge, est en partie influencé par les contextes de vie des femmes, contextes socio-économique, intellectuel et affectif. Plus les techniques s'affinent et se spécialisent, plus il faudra lutter pour appréhender globalement les phénomènes humains. L'idéal serait que clients et praticiens en soient également persuadés.

7

UN CERTAIN CLIMAT

Autour de toutes ces données existe un climat que les femmes ressentent plus ou moins, mais qui n'est pas sans influence. Préférant à la description le repérage de phénomènes entrant dans la production de ce climat, nous envisageons : des incertitudes, des angoisses, ce qui est perçu comme légitime ou non.

Les incertitudes

Vous désirez un enfant, vous avez 40 ans, vous en parlez à un médecin. Rien ne peut vous faire prévoir son avis. Le corps médical est sur ce point très partagé. Certains sont totalement contre, d'autres ne sont pas emballés, déconseillent mais n'interdisent pas comme les premiers, d'autres enfin sont pour. Chacun détiendra des arguments qui peuvent vous toucher. Si vous êtes influençable, timide, votre projet pourra avoir la vie que voudra bien lui laisser le corps médical ; vous serez à la merci du praticien rencontré. Si vous êtes plus ferme, vous irez voir un autre médecin et si vous avez de l'imagination et de la ténacité, vous consulterez jusqu'à ce que vous ayez trouvé quelqu'un qui veuille bien vous suivre et vous accoucher avec vos 40 ans et le risque que cela peut présenter.

Arrivée là, vous affronterez deux possibilités : soit ce médecin sera indifférent, léger, voire malhonnête et vous surveillera mal et il y aura risque pour vous et votre enfant ; soit il sera appliqué, attentif à vous-même et à votre environnement, compétent, et vous serez parfaitement suivie et accoucherez sans doute comme si vous aviez 30 ans. La probabilité de tomber sur un médecin de la première catégorie ou de la seconde est malheureusement inconnue, et il est vrai que de nombreux praticiens se situent au beau milieu de ces deux extrêmes. Par contre, ce qui semble évident, c'est que toute femme qui veut un enfant doit avoir suffisamment d'énergie pour s'aventurer dans le dédale médical et arriver à choisir son accoucheur en toute confiance. Les obstétriciens avanceront dans leur science d'autant plus profondément que ce sur quoi ils fondent leurs recherches — à savoir les femmes parturientes — seront des partenaires de dialogue et que l'accouchement sera un véritable travail d'équipe. Il s'agira donc d'ajuster une double série d'exigences : celles des femmes quant à leur maternité en général, et plus particulièrement ici quant à leur maternité tardive, et celles des médecins quant à la capacité de leur clientèle à coopérer aux actions médicales . Il est à noter que ces dernières exigences sont rarement formulées : tout se passe comme si les médecins redoutaient au contraire une telle évolution de leurs clientes[1].

Lorsqu'on est médecin soi-même, on baigne dans les mêmes incertitudes. Je citerai l'exemple d'une femme méde-

1. Cf. G. Devereux, *De l'angoisse à la méthode*, Paris, éd. Flammarion, 1980.

cin qui a eu son premier enfant à 39 ans sans aucun problème. Par la suite, étant malade, elle a pris un médicament qu'on lui avait prescrit sans indiquer que ce produit pouvait être tératogène (c'est-à-dire pouvait induire des malformations fœtales). On pensait évidemment qu'après avoir eu un enfant à 39 ans, c'était tout le bout du monde et que cette femme glisserait silencieusement dans sa ménopause comme toutes les autres, d'autant plus que ses activités médicales la mobilisaient beaucoup. Mais ce ne fut pas le cas : son mari et elle désirèrent un deuxième enfant, elle avait alors 41 ans. Elle apprit l'éventuel danger du médicament, dut s'informer par ailleurs de la façon dont ce produit était détruit dans l'organisme et ce qu'il devenait. Notons qu'aucun des médecins qui l'entouraient ne lui a donné ces informations spontanément ; elle a dû faire sa propre enquête. Le produit disparaissant de l'organisme en quatre semaines, elle arrêta immédiatement la prise. Son mari et elle décidèrent de continuer une contraception pendant six semaines, pour plus de sécurité. Elle fut enceinte immédiatement après l'arrêt de la contraception.

On lui fit une ponction amniotique à la 17e semaine, et elle sut vingt jours après qu'elle avait un petit garçon. Elle le mit au monde sans problème. Au cours de l'enquête qu'elle fit à propos du médicament dangereux, toutes les réponses furent identiques : si on attendait plus de quatre semaines après l'arrêt du médicament pour concevoir, on considérait les risques tératogènes comme nuls, mais... étant donné ses 41 ans on lui conseillait de s'abstenir, malgré la ponction amniotique prévue. L'avis était général sans jamais être accompagné d'aucune justification scientifique. Cela n'en était pas moins impressionnant, même pour cette femme médecin. Heureusement, elle eut des entretiens avec des généticiens d'un Centre de diagnostic prénatal qui lui ont permis de faire le point et de prendre sa décision. Sans eux, l'incertitude devenait telle qu'elle aurait peut-être abandonné son projet.

Dans ce cas précis, la ponction amniotique évoquée n'a pas semblé effacer chez ses confrères l'idée du danger. Aucun d'entre eux n'a paru soit capable, soit même vouloir dissocier la peur provoquée par la prise du médicament jumelée à l'autre peur, celle de l'âge. Le choix proposé qui se donnait comme prudent mais qui modifiait fondamentalement les intentions de ce couple, était-il scientifiquement fondé ou était-il traversé par une angoisse diffuse, presqu'un non-désir de savoir ? En effet, si cette femme n'avait pas été médecin, aucun de ses confrères n'ayant fait le travail d'enquête qu'elle a mené, elle aurait renoncé à l'enfant.Pourquoi sa question n'a-t-elle pas été prise au sérieux ? Pourquoi l'a-t-on trouvée non légitime au point de lui répondre si légèrement ?

Je citerai mon exemple personnel, puisque je cumule également le titre de médecin et de mère tardive, comme la femme précédente et que ce cumul, je crois, me permet de saisir davantage l'importance, l'étendue de ces incertitudes. Enceinte de ma première fille à 37 ans, angoissée à cause du mongolisme et de tout un tas d'anomalies que pouvait avoir mon bébé parce que j'étais « vieille » et qu'en outre j'avais fait pendant quatre ans des examens radioscopiques avec des appareils plus ou moins bien surveillés, je quêtais des renseignements autour de moi. Considérant que les généticiens avaient leur mot à dire plus que quiconque, je demandai l'avis d'un assistant des hôpitaux, c'est-à-dire un « gradé » dans la hiérarchie hospitalière, auquel théoriquement on peut faire confiance. Il est à noter que nous étions en 1972, la ponction amniotique venait juste d'être introduite en France, personne ne m'en avait alors parlé. Cet assistant m'expliqua que s'il était ministre de la Santé, il interdirait toute grossesse après 35 ans, de façon formelle, que nous étions des irresponsables !... C'était honteux que, moi, médecin, j'aie osé m'engager dans une telle voie... Je suis sortie en larmes, bien évidemment, angoissée comme je ne l'avais encore jamais été. Cet homme transformait des incertitudes en certitudes sur lesquelles il bâtissait des interdits, exprimant sa propension pour le vertige du pouvoir ou tout au moins son goût pour le vertige qu'il donne. Il n'avait d'autres éléments que les courbes classiques mais sa personnalité, son angoisse, voire d'autres facteurs comme une éventuelle misogynie, les transformaient en de nouvelles informations. Cette transformation n'est possible qu'en territoire d'incertitudes.

Incertitude également lorsqu'on veut faire le point sur l'ensemble de la maternité, gestation et accouchement, voire sur la période immédiatement postnatale.

Actuellement les généticiens qui s'occupent de ponction amniotique tiennent des fichiers à propos de la grossesse et des accouchements d'enfants tardifs. Ils sont persuadés de la légitimité du désir de ces femmes de plus de 35 ans. En général, ils ne s'appesantissent pas sur les complications dont parlent immédiatement les obstétriciens (hypertension artérielle, diabète, fibromes, etc.). Ces derniers, ayant dans leur clientèle peu de femmes âgées, continuent à envisager toutes les complications classiques dont on a parlé, qui pour certains cliniciens sont en passe de devenir historiques lorsque les conditions sont favorables et la surveillance effectuée par des gens compétents. Bref, lorsqu'on veut être mère à 35 ans et plus, il est ardu de réaliser vers quoi on s'engage, d'autant plus qu'on peut être amenée à se poser des questions sur sa fécondité.

En effet, s'il y a une notion sur laquelle règne l'incertitude, c'est bien la fécondité. Cela est d'autant plus surprenant qu'à lire les journaux, voire les revues médicales, tout un chacun croit que la fécondité n'a plus de secret pour personne, puisqu'on va jusqu'à réaliser des fécondations in vitro, on ne peut faire plus transparent... Les « bébés éprouvettes » sont vécus comme les témoins du savoir médical. Ainsi le public estime qu'on sait. Les spécialistes, eux, disent le contraire. Modestes, ils expliquent que la fécondité n'est pas actuellement suffisamment explorable pour que l'on puisse suivre son évolution. Par exemple rien ne permet d'indiquer si une femme est hypo — ou hyperféconde. Pourtant on sait que la fécondité n'est pas un phénomène qui obéit à la loi du tout ou rien, on sait qu'il existe toute une suite d'états intermédiaires entre la stérilité complète et l'hyperfécondité. Comme cette exploration est impossible, les femmes agissent sur leur corps en aveugle : elles prennent des contraceptifs sans pouvoir faire de bilan préalable quant à leur fécondité. On sait par ailleurs que la fécondité est le résultat de tout un ensemble complexe : dans ce processus intervient non seulement la physiologie ovarienne mais également la personnalité de la femme, toute sa structure émotionnelle, mais aussi l'homme, sa physiologie sexuelle et tout son être. Comme le disaient des spécialistes interviewés à ce propos, la fécondité ne peut être envisagée que dans et par le couple.

Auparavant on étudiait séparément soit la fécondité des femmes soit celle des hommes. L'étude de l'insémination artificielle obligea à revoir la fécondité, à repartir sur d'autres bases. En médecine on élabore le savoir davantage à partir du pathologique que de la « normalité » ; il en résulte qu'apparemment on possède plus de précisions quant à la maladie que de certitudes quant à l'état de santé. On est aussi étonné lorsqu'on sait que la fécondité, définie par le fait de procréer, est étudiée seulement depuis peu dans sa relation avec la sexualité, avec la fréquence des rapports sexuels, avec l'existence même du désir d'enfant, etc.

Toutes ces incertitudes sur les possibilités de reproduction de notre espèce à une époque où le savoir scientifique a fait de fantastiques progrès, en particulier dans le domaine de l'armement et de ce qui s'y rattache, posent problème. Il est vrai qu'un tel savoir scientifique a des retombées importantes dans le secteur de la santé, mais nous affrontons un véritable décalage entre la puissance des forces de destruction et celle des forces de maintenance et de développement de notre espèce. Le progrès scientifique ne se fait pas sur la nudité de l'ignorance, dans la neutralité, on étudie, on recherche là où on mise qu'il faut le faire et cette mise est indiquée par l'urgence, la reconnaissance d'une légitimité, par l'intérêt d'une personne ou d'une équipe à explorer tel champ. Les guerres ont fait parfois avancer la médecine lorsque la vie des soldats devenait un placement, qu'il fallait à tout prix éviter des pertes ; les hygiénistes du XIXe siècle ne se sont fait entendre que le jour où l'état de santé de nombreux jeunes était tel qu'on ne pouvait les recruter pour l'armée et cette baisse d'effectifs impressionna les pouvoirs publics... Mais les femmes faisant des enfants ne tombèrent jamais dans un créneau d'urgence.

Il n'y a pas que cela, elles tombaient aussi dans le champ de la sexualité, c'est-à-dire du tabou, elles se situaient dans les obscurités de la vie privée, de la vie intime. Explorer ce qui a trait à la vie privée est une violence en soi, car c'est une sphère où nous logeons notre identité ; ses frontières sont aussi sacrées que les frontières nationales. Explorer la fécondité, c'est entrer dans cet espace privilégié ; on le fait quand les gens souffrent et le demandent, on ne le fait pas chez des gens qui ne le sollicitent pas. Ainsi on collecte peu de renseignements, et le public ne participe pas.

De tout cet ensemble résultent l'état des connaissances actuelles et les incertitudes sur la fécondité.

Des angoisses

Si l'angoisse d'une maternité anormale chez la femme de 40 ans est centrale, elle n'exprime pas la totalité d'un climat insécurisant qui nous entoure souvent à cette période.

Ce climat émane de la rencontre des angoisses propres de la femme et de celles du médecin face à cette grossesse dite à risque, face à celle qu'il ménopauserait parfois peut-être davantage qu'il n'accoucherait. Nous laisserons de côté ce qui se passe dans la tête du médecin pour envisager ce qui angoisse les femmes.

Les femmes savent qu'il s'agit d'un « maintenant ou jamais ». Le sentiment parfois très précis d'irréversibilité rend dramatique une éventuelle attente. Le tout peut se projeter sur un fond de ménopause qui pour certaines femmes représente, encore maintenant, une déchéance : « Elles seront finies », disent-elles. Le désir d'enfant peut être exacerbé par cette « fin prochaine » et avoir valeur de lutte contre cette amputation de l'être que représente parfois la cessation des règles. Ces angoisses manifestées individuellement sont néanmoins comme préorganisées par des modèles sociaux. La jeunesse dans nos sociétés est survalorisée comme produit de qualité. Elle symbolise pour la femme l'abondance, la fertilité, ce sur quoi reposait en partie sa valeur. La ménopause symboliserait l'inverse et serait une mise à la retraite physiologique et affective obligatoire. Les médecins jouent le rôle de condensateurs sociaux de ces modèles. Ils s'expriment à partir de leurs représentations : « Ce n'est plus la peine de prendre la pilule, madame, vous n'êtes plus une femme dorénavant », citée par une femme. De même à 40 ans, indépendamment du risque, il semble qu'on fera plus volontiers une césarienne car quelle importance pour ce ventre !... et surtout quelle importance puisqu'elle ne procréera plus.

A 40 ans, le corps féminin se dilue dans l'informe et le désir d'un autre enfant devient de l'ordre du surréalisme... Les femmes le sentent et même si elles luttent contre toutes ces images, ces images sont angoissantes.

La peur d'avoir un enfant anormal est modifiée par l'amniocentèse; mais pendant les vingt premières semaines, certaines femmes vivent si mal ce risque qu'elles cachent totalement cette grossesse. *A priori,* il semble que l'avortement dans ces conditions-là soit très mal vécu par certaines et l'idée même de cette éventualité suffit à entretenir cette peur. Une fois la réponse donnée, tout change et même quelques-unes nient avoir été tellement terrifiées et disent avoir fait la ponction soit pour savoir le sexe, soit pour faire plaisir à leur médecin.

Une autre angoisse chez plusieurs femmes gêne leur prise de décision, c'est celle des problèmes économiques. La peur d'être mises à la retraite anticipée, la peur d'être incapables financièrement d'assurer l'élevage puis l'éducation de leur enfant. La crise économique accentue cette insécurité. Elles craignent de perdre leur emploi à cause de cette grossesse inattendue et redoutent progressivement que s'enchaînent contre elles toute une suite d'événements fâcheux. Et pourtant, elles éprouvent profondément l'envie d'avoir cet enfant ou encore-un-enfant. Cette angoisse se mêle aux autres angoisses. Chaque histoire diffère, mais une fois de plus les classes favorisées le sont doublement, triplement: les femmes y ont plus de sécurité professionnelle, elles sont plus averties des possibilités offertes par la technique, elles sont physiquement moins usées, elles auront plus de facilités pour se faire aider. La liberté de mettre au monde un enfant à n'importe quel moment de sa période d'activité génitale est beaucoup plus grande dans les milieux bourgeois que chez les prolétaires.

C'est sans doute chez ces dernières que l'âge devient le

plus menaçant : bon nombre d'entre elles ont peur de « ne pas pouvoir aller jusqu'au bout », c'est-à-dire de ne pas pouvoir élever leurs enfants jusqu'à l'âge adulte. Sans doute toutes font des comptes : quand il aura 20 ans, j'en aurai 60, et lorsqu'il arrivera à ses 30 ans j'atteindrai mes 70 ans. Mais quand on est d'un milieu favorisé, on peut compter sur des arrières, sur une meilleure retraite, voire une meilleure santé. Cela dit, beaucoup ressentent une inquiétude en imaginant leur fin et l'enfant ou les enfants encore petits ou très jeunes, sentiment passager ou plus profond, peur qui renvoie à d'autres angoisses ou que l'on rejette en ayant confiance, en comptant sur l'augmentation de la longévité moyenne des femmes, etc.

Quoi qu'il en soit, peur de la mort, de manquer d'argent, peur d'être inféconde, peur d'avoir un enfant anormal, toutes ces peurs se fondent sur le passé de chacune, sur leur fragilité ou sur leur force, sur leurs éternelles angoisses ou sur leurs enthousiasmes. Il n'y a pas de portrait robot pouvant donner une idée de ces femmes qui veulent accoucher à 40 ans.

Ce qui est perçu comme légitime ou non

Souvent une femme hésitante change radicalement d'attitude lorsqu'elle a rencontré une autre femme « âgée » qui vient d'accoucher, sans aucun problème, d'un bébé splendide. Alors elle a un modèle qui légitime son désir. Avant elle se sentait fragile, quelque peu honteuse. Elle aurait pu rencontrer un médecin encourageant, mais celui-ci aurait davantage « permis » qu'il n'aurait rendu légitime la demande de sa cliente. Or tout ce qui a trait à la légitimité joue un rôle de premier ordre dans le fonctionnement de la médecine. « Je m'occupais depuis des années de stérilité, dit un spécialiste au cours d'une rencontre, mais un jour, je me suis dit que cette demande d'insémination artificielle de la part des couples stériles était finalement légitime et qu'il fallait mettre sur pied des structures permettant d'étudier... de comprendre, de répondre à ces demandes... » Un accoucheur à propos de la ponction amniotique estimera « non légitime cet examen pour la connaissance du sexe de l'enfant »...

La légitimité perçue par le corps médical est importante à repérer puisqu'elle entre dans ce qui déclenche le désir de faire des recherches, d'aboutir à des résultats... Tout se passe comme si lorsque cette légitimité n'existait pas pour le corps médical, la réalité considérée comme illégitime s'effaçait, se diluait, disparaissait. La demande des femmes de moins souffrir en couches remonte à loin, mais cette demande n'était pas entendue puisqu'on s'appuyait pour la qualifier d'illégitime sur des textes bibliques, puisqu'on trouvait « normal », à savoir légitime qu'elles souffrent, puisqu'il en était ainsi depuis toujours. Il a fallu des changements politiques et sociaux qui ont empoigné la société tout entière pour que la médecine utilisant le progrès scientifique (les travaux de Pavlov entre autres...) perçoive autrement l'accouchement et les femmes, pour qu'elle arrive à trouver légitime leur demande. On pourrait dire la même chose à propos de l'avortement.

La légitimité renvoie à une question de fond qui est celle de l'articulation des individus, des personnes en tant que telles et de la société globale. On mène sa barque comme on veut tant que le trajet décidé est en accord avec les trajets considérés possibles par la société. Le praticien, face à une femme de 40 ans qui veut être enceinte, condense un tas de représentations. En tant que professionnel, il rationalise toutes les images qu'il a en tête en utilisant son savoir médical qui n'est pas remis en cause puisque le label de scientificité le recouvre et lui donne un caractère sacré. La remise en question, qui serait davantage remise à jour des connaissances , est souvent vécue dangereusement. La situation de relation n'est souvent pas assumée par le médecin qui n'y est d'ailleurs nullement préparé et la fragilise. Il se défend en fuyant toute remise en cause et en cherchant des certitudes. Ainsi lorsque cette femme « âgée » vient le voir pour faire le point sur ses possibilités de mener à bien une grossesse et sur le danger qu'elle encourt, elle reçoit plus de jugements composites où entrent en jeu des stéréotypes sociaux, l'affectivité de l'homme-médecin face au statut de la femme, à son désir de procréation, etc., qu'un avis scientifique. Ça se termine par exemple ainsi : « Vous avez déjà un enfant, vous avez 41 ans, diable, pourquoi en vouloir encore un ?... A 41 ans, c'est trop tard, madame. Après 38 ans, nous considérons déjà que c'est trop dangereux... » Et si c'est le premier enfant qui est envisagé, c'est pire, les primipares âgées étant réputées comme s'engageant dans des grossesses très risquées. « Vous avez fait votre vie jusqu'à maintenant sans enfant, pourquoi tout désorganiser avec la naissance d'un gosse. Vous choisissez le moment le plus dangereux pour commencer une maternité ! » Et ces médecins penseront que ce n'est vraiment pas légitime de désirer enfanter à cet âge. A la limite, cela leur suffira pour adopter un tel discours. Si on pouvait savoir combien de temps a duré leur entretien avec ces femmes, il est probable qu'on aurait à conclure qu'ils ignorent tout de leur cliente et leur font une réponse lourde de conséquences. Pourquoi ? Parce que le corps médical estime savoir ce qui est légitime ou ce qui ne l'est pas, moyennant quoi il ne peut réaliser sa cécité. Cela est d'autant plus grave que la recherche médicale peut en être retardée. Certes les pratiques médicales ne sont pas homogènes, il y a toujours eu des médecins à l'écoute de leur patient, il y a de nouvelles générations qui évoluent dans ce sens, refusent les consultations à la va-vite, les « cadences », ont moins la peur de l'autre et plus le goût de la relation, de la compréhension.

Mais dans la légitimation interviennent aussi les femmes elles-mêmes. Les médecins, comme tous acteurs sociaux, sont également façonnés par leurs pratiques et les gens qu'ils rencontrent. Les femmes ont à défendre leur point de vue, à parler, à s'exprimer, à lutter contre leur timidité, leur fragilité possible. Le colloque médical devrait avoir lieu entre deux acteurs construisant la relation médicale, adaptant des données et la légitimité émanerait davantage de la compréhension que de l'étiquetage. Ce type de médecine existe, est en train de se créer, mais n'est pas encore répandu ; il repose sur un double apport : celui du médecin et celui du patient. Il ne faudrait pas croire qu'une telle transformation de la médecine soit simple et aisée; disons par exemple que pour ce qui est de la M.T. et de sa récente évolution, le médecin qui ne peut plus dire : « Madame, ne faites pas d'enfant » perd quelque chose de l'ordre du pouvoir, car n'est-ce pas un pouvoir fantastique sur l'autre que de lui adresser cet ordre-là ?... Et ce médecin qui souhaitait interdire à toutes les femmes de plus de 35 ans de procréer, n'est-il pas représentatif ?... Bien sûr, au niveau conscient nous ne percevons guère ces enjeux, mais tout médecin devrait tenter de déchiffrer son implication dans son métier. Ce n'est d'ailleurs pas la seule profession qui possède ces caractères, mais disons que dans la nôtre ils sont particulièrement patents. Tristement les réformes se succèdent, sans que la formation prenne en charge une partie de la spécificité même de la pratique médicale. Des essais se font pourtant depuis des années, en dehors des institutions tels que les groupes Balint, mais il semble que le milieu obstétrical en soit indemne.

Il existe une association intitulée « L'École des Parents ». Ce titre est singulièrement significatif des changements profonds qui atteignent le statut des parents, celui des enfants et les relations familiales. Élever un enfant, l'éduquer, tenter de le comprendre et de se comprendre avec lui, deviennent des ensembles de comportements complexes. Beaucoup de parents s'interrogent et refusent la routine, la naissance allant de soi. L'explosion des sciences humaines, des sciences du développement de l'enfant (psychologique, psychanalytique et médicale, etc.) mettent en évidence l'importance de ce qui se déploie dans la petite enfance. Il y a des femmes qui se refusent à assumer une telle responsabilité à peine entrées dans le monde actif, sans expérience. Il y a des femmes, les mêmes ou d'autres, qui veulent exister par elles-mêmes, se trouver, se connaître, se situer et reculent le moment de leur première grossesse qui les accaparera trop pour qu'elles puissent maintenir leur exigence; craintives, timorées ou prudentes et sages ? Égoïstes ou généreuses ? Conditionnées ou se libérant ? Chacun répond et interprète à sa façon. Quoi qu'il en soit, le problème est posé. Bien entendu, il ne passe pas nécessairement par une maternité tardive ; des femmes peuvent avoir répondu au moins en partie à leurs propres exigences précocement; mais reste à reconnaître l'entière légitimité de celles qui en décident autrement.

Les femmes se sentent moins définies socialement par la maternité qu'auparavant et la maternité est livrée non plus comme un instinct mais comme tout un ensemble d'attitudes interdépendantes, à la limite comme un savoir-faire. On leur propose de considérer au plus vite leur enfant dans son altérité plutôt que comme « leur chose à elle ». La difficulté d'une telle démarche est loin d'être contradictoire avec ce qui est réclamé : avoir une expérience, des « outils », un savoir sur soi pour élever filles et fils. Si l'on en croit

Huberman[1] qui affirme que les hommes de nos sociétés sont caractérisés par une « immaturité émotionnelle », ne devrait-on pas trouver particulièrement légitimes ces demandes ?

Par ailleurs, on ne saurait nier que du côté des relations hommes-femmes, il y a des changements, il y a de nouvelles exigences, de nouvelles réciprocités. La pluralité des rencontres possibles, les pratiques de cohabitation peuvent participer à une construction des attentes, à un imaginaire de l'art de vivre ensemble différent des clichés habituels. De telles constructions demandent du temps. Ainsi des hommes et des femmes peuvent être pris tardivement dans une co-aventure où autonomie, réciprocité, négociation, sont mêlées. Comment ne pas comprendre leur désir d'avoir un enfant ou de ne pas en avoir ? Dans cet ordre d'idée, les divorcées qui « refont leur vie », comme on dit, veulent parfois d'autres enfants tout à fait légitimement.

Tous ces cas constituent une réelle demande dont ne peut se désintéresser le corps médical.

---

1. *Expériences et innovations en éducation*, nº A, Les Presses de l'Unesco.

8
LA DÉCISION

Rappelons que c'est à partir d'entretiens avec des femmes autonomes, ayant des professions qu'elles apprécient, qu'on estime valorisantes, et dont les maternités étaient entièrement désirées, que nous avons mené cette réflexion. Ce sont des cas minoritaires parmi les maternités tardives mais qui interpellent nos modes de vie, nos comportements.

Avant que naissent ces enfants tardifs, comment leurs mères ont-elles vécu leur rencontre avec leur conjoint ou compagnon, comment ont-elles pris leur décision de mettre au monde un enfant, à 40 ans, comment leurs parents ou amis ont-ils réagi, comment leur milieu l'a-t-il admis ou non ?

La rencontre et la décision, un essai : les entendre, les suivre pas à pas dans leur discours pour comprendre leurs démarches et discerner ce qui les rend différentes, au cours de ces rencontres et de ces prises de décisions.

Nicole vit depuis huit ans avec Jean. Tous deux divorcés, elle avec un enfant, lui avec deux, élevés par sa première femme. Nicole a toujours rêvé d'une famille nombreuse et Jean, se considérant comme déjà père de trois enfants puisqu'il élève aussi Charles, le fils unique de Nicole, se trouve bien ainsi. Nicole comprend l'attitude de Jean d'autant plus que leur métier les prend beaucoup : tous deux sont psychologues de formation et sont devenus secondairement cinéastes spécialisés. « Finalement, d'année en année, je me suis faite à l'idée que je n'aurai plus d'enfant et j'ai trouvé ça difficile d'en avoir un seul. Je n'aurai connu qu'une seule fois la maternité... peut-être que je ne me sens pas assez prolongée ?... Charles a 12 ans. Pour moi, la maternité est quelque chose qui se vit toute la vie, en continu, ça ne s'arrête pas dans le temps. » Et Nicole renonce donc à son projet jusqu'au jour où Jean à son tour désire un enfant. C'était un tel changement que Nicole n'arrive pas à y croire. Elle pense que des amis communs l'ont influencé voire l'ont convaincu à cause d'elle. Ils ont tissé leur relation au fil des ans avec une succession d'attentes et de réponses. Nicole redoute que cette démarche ne soit pas authentique et qu'elle puisse détruire quelque chose à eux deux, leur entente. Elle attend. Un jour elle se croit enceinte et est bouleversée à l'idée que Jean n'y tient en fait nullement. La déception que Jean manifeste face au manque de compréhension de Nicole la rassure complètement, elle sera enceinte le mois suivant. Ce couple « tardif » travaille la communauté de leurs vies dans la recherche d'une harmonie qui leur soit spécifique. Mais Nicole dira également qu'« elle ne se sentait pas capable d'assumer seule un deuxième enfant » et immédiatement après, elle ajoutera : « Mes enfants, j'ai tendance à les assumer totalement seule. Je ne veux pas avoir à compter sur Jean ni qui que ce soit d'autre. Je suis contente qu'il soit là, c'est presque un privilège... un luxe. »

Que penser d'une telle contradiction ? N'est-ce pas davantage la peur d'être capable d'assumer seule un enfant et de ce fait de rompre quelque part le dialogue, de modifier l'entente ? Assumer totalement les enfants revient à affirmer son autonomie, et dans leur couple cette affirmation se veut réciproque. Mais pratiquement comment s'établit cette réciprocité ? Tout se passe comme si on envisageait davantage soit « d'assumer totalement » — ce serait même pour Nicole une tendance naturelle —, soit de ne rien assumer du tout — de déléguer entièrement la responsabilité sur l'autre, et peut-être, d'avoir ainsi les mains libres. Ces mécanismes fonctionneraient avec la brutalité de la « loi du tout ou rien », mais pas du tout selon les règles de l'échange, de la négociation, du contrat. Et dans ce couple, pourtant si à l'écoute l'un de l'autre, ces ambiguïtés ne révèlent-elles pas toute la complexité relationnelle dès qu'on quitte les modèles traditionnels où les rôles semblent établis une fois pour toutes. De même lorsqu'on parle avec Nicole de cette décision, elle se met comme sur le côté en invoquant son incapacité d'élevage et son besoin de l'accord, de l'aide et de la participation de Jean ; elle dira beaucoup plus loin dans l'interview : « Elisabeth, c'est un cadeau qu'on s'est fait. » Nicole a 37 ans et Jean 41 ans. Ils nous ont semblé bâtir, à travers la voix de Nicole, aussi bien leur écoute, leur partage, que leurs réflexions menées au cours de conflits. A la limite on pourrait dire qu'ils expérimentent leur propre vie en ajustant au mieux leurs intentions et leurs pratiques. Ces comportements sont à l'opposé de ceux « allant de soi » : certaines femmes considèrent en particulier que le « faire un enfant » va de soi avec le mariage, l'ensemble forme une seule et même image en général très renforcée par tout l'environnement. Si c'est un mariage tardif elles peuvent éventuellement faire leur petit beaucoup plus vite encore, sans que rien de particulier ne soit exprimé dans leur décision. Plus elles seront « obéissantes » à tout ce qu'on dit autour d'elles, plus elles se plieront aux prescriptions de la société, plus cette approche de la quarantaine pourra les angoisser. Désormais pour elles, il y aura quelque chose d'irréversible, elles en viendront à penser « maintenant ou jamais » et pourront se précipiter.

Mais dans ce sentiment d'irréversibilité se joue également le deuil ressenti après l'accouchement à propos de l'enfant imaginaire, cet enfant que l'on a projeté pendant toute la durée de la grossesse et qui a parfois du mal à coïncider avec l'enfant réel qu'on met au monde. Pour certaines mères tardives cette perte se transforme d'autant plus en un deuil difficile si elles considèrent qu'elles n'auront plus d'autres enfants. Nicole a aussi vécu l'étrangeté de son enfant comme irréversible ; brusquement c'était lui et pas un autre, et cela à jamais. « J'ai trouvé très dur ce qui doit être inscrit dans la nature : normalement on a les ressources pour établir une nouvelle relation avec un enfant étranger, qu'on ne connaît pas et en même temps qu'on a porté pendant neuf mois... mais ces ressources je ne les avais pas, j'étais trop fatiguée... » Nous avons discuté de sa fatigue qui l'a beaucoup gênée dès le début. « Si je me réfère aux endroits où se localisait cette fatigue, cela signifiait un trop gros poids sur mes épaules : Vais-je être capable ? Est-ce une folie ? Vais-je mener l'enfant jusqu'à l'âge adulte ? Pour moi, le caractère irréversible était très fort. » Les médecins n'avaient rien pu pour elle : « Ils ne comprennent rien du tout, dit-elle, ils sont juste bons avec les femmes qui vivent tout ça sans s'en rendre compte. Moi, je ne suis pas quelqu'un qui puisse mener une telle histoire sans m'en apercevoir. » Elle attendit quelques secondes et ajouta : « sauf le premier que j'ai vécu ainsi... ». Se rendre compte, mener ces événements dans une recherche de lucidité toujours plus grande impliquerait donc une dépense d'énergie peut-être beaucoup plus importante qu'on ne le suppose et témoignerait à rebours de toute une économie invisible faite par des successions d'automatismes à peine couverts par une fine prise de conscience. Nicole le perçoit ainsi en se rappelant la naissance de

Charles: «Je venais de finir mon doctorat en psychologie, j'avais un emploi, j'avais 25 ans. C'était dans l'ordre des choses. Une fois mariée j'aurai un enfant, j'avais toujours imaginé ça ainsi. Elisabeth, elle, n'est pas du tout dans l'ordre des choses. C'est un enfant voulu jusqu'aux dernières fibres de nous deux... Je trouve ça presque dommage de ne pas avoir vécu la naissance de Charles de la même façon. J'ai vécu la grossesse d'Elisabeth beaucoup plus méditative, je l'ai vraiment attendue, tandis que pour Charles, j'avais une fierté à ne pas paraître enceinte, à ne pas être grosse, à continuer de faire mon travail jusqu'à la dernière minute...» On voit l'influence d'une société dans ces attitudes: Nicole à la fois envisage une maternité dès sa rentrée dans la vie active, et de fait sera sans doute amoureuse facilement pour réaliser cette image. En même temps, elle cachera cette même maternité au bénéfice d'une autre image, de la femme valorisée parce qu'elle fait en même temps ce que fait un homme et ce que fait une femme, parce que la société lui accordant la permission d'avoir aussi un travail, elle doit résister pour faire honneur. Rien ou presque n'appartient à Nicole dans toutes ces attitudes, elle n'est que l'empreinte de messages qu'on lui adresse. A 37 ans, par contre, elle tente de fabriquer ses propres messages, certes, non pas à partir de son exclusive expérience qui serait un leurre, mais à partir de l'offre de la société dans laquelle elle choisit ce qui lui convient. La naissance d'Elisabeth est le témoignage de ce changement.

D'autres femmes tiendront un autre discours et leur démarche pourra bouleverser des comportements que nous avons depuis toujours.

Jacqueline était architecte et avait rencontré tard son mari, «ce qui explique, disait-elle, que j'ai eu tardivement mes enfants», mais cette rencontre tardive était en rapport, sans doute, avec une «peur de se fixer». Elle aimait sa vie de célibataire, voyager, elle aimait «sa liberté», peut-être quelque chose à voir avec ce que pleuraient les hommes lorsqu'ils enterraient leur vie de garçon. «La peur de se fixer» chez elle aurait-elle remplacé la peur de ne «pas se caser» qu'ont connues d'innombrables femmes ? Jacqueline, après s'«être fixée» avec un homme pour qui le mariage n'était pas «une fixation», aborda la maternité avec prudence. Elle commence par avoir peur de regretter de ne pas avoir d'enfant et étant donné son âge, elle prend une première décision assez vite, elle a une petite fille à 39 ans qui l'émerveille et transforme sa vie. Elle travaille à mi-temps, et à 44 ans veut, avec son mari, avoir un deuxième enfant. Apparemment cette histoire n'a rien de particulier par rapport à un couple plus jeune, mais étant donné la façon dont leur vie professionnelle s'est structurée, la façon dont ils manifestent tel ou tel intérêt, ils cherchent à organiser au mieux leur vie commune, discutent diverses solutions, tâtonnent, expérimentent. Il ne s'agit pas tant de cohabiter que de covivre ensemble, et chacun dans ce vivre met un certain nombre d'exigences. Par ce couple tardif, un cadre est offert aux enfants, bien différent de ceux dépeints encore dans les manuels scolaires et ailleurs. Lorsque la femme «suivait son mari», une apparente harmonie s'installait immédiatement, chacun ayant un rôle prédéterminé par rapport à l'autre, prétendu complémentaire, et une silencieuse complémentarité scellait leur union. La société s'appuyait dans son fonctionnement sur ce couple et reposait sur lui par le biais de cet exclusif modèle. A la limite les époux n'avaient plus rien à se dire, les négociations, les choix étaient ritualisés, préorganisés. Le gigantesque appareil des codes sociaux n'était pas perçu : on les suivait donc en «toute liberté», car on n'avait en tête aucune autre image possible. Et pouvait-il en être autrement ? Dans une société dite de rareté, peut-on avoir des choix ? Les individus peuvent-ils échapper, sauf exception, aux cheminements précis tracés à l'avance ?

Jacqueline et son mari jouissent d'une possibilité de choix d'organisation différente, ils connaissent en ce sens un certain luxe. Certes les conditions matérielles y sont pour quelque chose, mais ce serait réduire de beaucoup ce phénomène de nouveau couple si on en restait là. D'abord Jacqueline a travaillé quinze ans avant de se marier, elle s'est « favorisée » et surtout, lorsqu'elle rencontre son mari elle est cette femme libre, autonome d'emblée ; il sait immédiatement qu'il n'aura pas en elle une épouse du type « qui va suivre » et l'on peut supposer qu'il n'en veut pas. Ils entreprennent un type de relation autre que celui géré exclusivement par des rapports de force, où les tâches sont distribuées plus que réparties. Certes nous caricaturons à dessein les unions traditionnelles, mais c'est pour mieux faire ressortir ce qui émane de ces « entreprises conjugales ». Echanges, négociations, envie de se comprendre plutôt que de se taper dessus, jalonnent la vie quotidienne de ces parents d'enfants tardifs : ce n'est pas rien qu'un tel environnement !...

Une tout autre situation est offerte par Juliette et Léon. Elle l'avait rencontré depuis longtemps et vivait avec lui sans « perdre son indépendance ». Personnellement elle avait toujours envisagé d'avoir des enfants, mais Léon n'en voulait pas. A 35 ans elle fut enceinte et il exigea qu'elle avorte. Elle le fit non sans difficultés ; à ce moment-là elle ne se sentait pas capable d'assumer cet enfant. Quelques années plus tard, Léon n'avait pas changé d'avis, mais Juliette avait pris du poil de la bête : professionnellement elle s'était affirmée, et se sentait « mieux dans sa peau ». A un moment donné, elle estima qu'elle était totalement capable d'élever seule un enfant et prit sa décision. Rapidement elle fut enceinte, son compagnon n'en sut rien au début. Elle prévoyait ses réactions. Pour elle, avoir cet enfant était devenu fondamental et sa proposition devenait simple : « Ou tu l'acceptes et on vit ensemble, ou tu ne l'acceptes pas et nous nous séparons. » Mais malgré cette fermeté, Juliette espérait un changement : « Il faut bien neuf mois pour qu'un homme s'habitue à un enfant », dit-elle, comme si la femme savait immédiatement tandis que l'homme n'avait pas le même accès à cette décision. Juliette avait toujours eu des liaisons longues et elle estimait nécessaire de telles durées pour envisager une maternité, au même titre que des « liaisons adultes » — où l'on s'affronte et où l'on tente de rester soi-même pour échapper à une éphémère fusion. Mais cette prise de décision asymétrique questionne. S'agit-il d'une inversion des rôles : jadis un homme faisait en douce un enfant à une fille, maintenant, une femme se ferait faire un gamin dans le dos d'un homme ? S'agit-il d'une revanche ou de tout autre chose ? Si juliette décide solitaire de son enfant tardif, c'est parce qu'elle n'a pu entrer en dialogue à ce propos avec Léon, et qu'elle sait qu'elle aura 40 ans dans quelques mois, qu'il est temps, qu'elle est submergée par cette certitude et qu'elle se perçoit comme pouvant assumer cette naissance seule. Tout cet ensemble aboutit momentanément à l'isoler de Léon. Elle dira de lui peu de chose en dehors de son refus manifeste de l'enfant, et des difficultés qu'il a à prendre des décisions même d'ordre purement matériel. Elle le vit comme tel.

Une rencontre dans une rencontre plus ancienne, ou une décision soudaine, là où sc déroulaient des jours prévisibles. Heidi s'est mariée à 19 ans, classiquement. Elle a eu son premier enfant à 20 ans et les deux partenaires dans ce jeune couple ont évolué parallèlement au même rythme pendant des années. Les événements de mai 1968 participent chez Heidi à tout un remue-ménage intérieur. «Brusquement j'ai osé avoir envie, dit-elle, envie de faire des études, envie d'avoir un enfant... » Elle avait alors 33 ans. Elle s'est effectivement inscrite à l'université puis elle a décidé d'être enceinte. Qu'en pensait votre mari ? « Le saint accord dans le couple, je n'y crois pas tellement, de toute façon je voulais l'assumer seule, c'est-à-dire même s'il y avait des modifications dans notre couple. D'ailleurs la première parole de Jacques a été : "Tu m'as eu", mais il s'occupe incomparablement mieux de son second fils que du premier que nous avions eu lorsqu'il avait 21 ans. »

Entre ces deux naissances, Heidi considère qu'elle a changé : elle est devenue une femme qui s'est dit : « Tu as 33 ans passés, si tu ne fais pas ce que tu veux, ce dont tu as envie maintenant, tu ne le feras jamais. Ça ne sert à rien de reprocher à l'autre de ne pas l'avoir fait car c'est à moi d'agir et non à lui. » Est-ce autour de ce principe que Heidi construit la deuxième partie de sa vie ? N'y a-t-il pas une distance prise par rapport à l'autre, son conjoint, dans laquelle disparaît relativement le rôle de bouc émissaire que celui-ci endossait. Heidi maintenant, indépendamment de sa décision solitaire, nous apparaît rechercher une réciprocité plus grande dans son couple. Est-ce contradictoire ou est-ce un mouvement qui s'instaure dans la dynamique relationnelle de leur vie à deux ? Il semble qu'elle ait vécu toute une période où elle se barricadait dans une dépendance plus ou moins fictive, elle aurait été moins « sujet », plus déterminée par le « destin » ; elle en aurait voulu à Jacques d'avoir accepté qu'elle fût ainsi « amputée ».

L'effort de transformation de cette femme est tel qu'on peut se demander si elle aurait pu aller au-delà de sa prise de décision et en assumer toutes les responsabilités. Le dialogue entre eux continue, se modifie mais en même temps, « elle ne croit plus à sa sainte entente conjugale ». Fallait-il y croire ? Était-ce un mythe qui faisait l'économie de tout un travail dans la relation qu'on évitait au bénéfice de la croyance dans cette entente ?

Mais on peut rencontrer chez ces femmes autonomes qui accouchent tardivement des histoires bien plus simples. Leur autonomie se joue plus doucement dans un quotidien en règle. Judith était pharmacienne. Elle se maria à 40 ans avec un homme qu'elle connaissait déjà depuis plusieurs années. Ell s'était jusqu'alors totalement consacrée à sa profession où elle avait monté dans la hiérarchie. Elle estimait qu'à 40 ans elle avait eu « toutes les sorties », tout ce qu'elle pouvait désirer. « Donc à cet âge-là, je crois qu'on est disponible pour un gosse », insistait-elle. Elle ne voyait dans l'âge que cette délivrance de la tentation des sorties auxquelles elle ajoutait un savoir-faire face aux enfants, une plus grande patience. Elle ne voyait pas dans l'âge un obstacle à une grossesse, comme certaines femmes car sa propre grand-mère avait eu sa mère à 46 ans, comme huitième enfant.

Ce type d'antécédents peut intervenir dans les maternités tardives : rentrent-ils dans la constitution d'un modèle, d'une image qui sert de référence, ne serait-ce que dans l'imaginaire ? Jouent-ils un rôle dans les aspirations ? Ou sont-ils quelque chose de plus, de l'ordre du permissif ? Avoir un enfant tard peut apparaître non seulement comme anormal, mais comme une irresponsabilité, un mal. La famille n'est pas toujours d'accord, comme nous le verrons par la suite ; on fait pression sur les femmes pour qu'elles changent d'avis. Mais certaines pensent, par exemple, que si leur grand-mère l'a fait, elles peuvent le faire tout aussi bien. Elles ne sont pas en rivalité, elles font la même chose, elles ne les dépassent pas. Des analystes estiment qu'au niveau de l'inconscient, la culpabilité œdipienne agirait de façon puissante sur notre tendance à ne pas faire autrement que nos parents. Faut-il croire que cette culpabilité œdipienne serait un des éléments premiers de nos difficultés à innover, voire plus modestement à nous adapter ?...

Notons que Judith, sans devenir une mère au foyer, commencera par travailler à mi-temps puis fera tout pour être mise au chômage. Actuellement elle n'a pas encore repris d'activité et s'en passe fort bien, dit-elle.

Ces rencontres et ces décisions mises bout à bout nous permettent-elles de dégager un discours neuf, d'entrevoir d'autres possibles ?

A priori, toutes, sauf peut-être Judith, se sont fabriqué une partie de leur imaginaire, toutes ont refusé le « prêt-à-rêver » mis en tête dès notre enfance. Elles ont bâti des exigences en fonction de leur tempérament, de leur histoire, voire de leur conjoint. Elles se sont construit une autonomie avec laquelle elles rencontrent l'autre. De Nicole et Jean qui se cherchent et cherchent une harmonie dans la transparence à Juliette et Léon qui s'affrontent dans une « liaison adulte », ne trouve-t-on pas toute une gamme de possibilités relationnelles qui ont pour dénominateur commun qu'aucun des deux n'est en permanence le dépendant, le dominé, le « complément » de l'autre ? Certes l'articulation de deux êtres autonomes peut se voir chez des jeunes, mais n'est-elle pas passagère, vécue comme une manifestation surtout idéologique ? Ce n'est pas l'âge qui est important, c'est l'éventuelle maturité que l'on peut alors rencontrer, qui donne une capacité d'écoute et de négociation, voire d'analyse qui devient innovation si cette capacité fonctionne dans le cadre de la rencontre de deux autonomies.

Car historiquement où trouve-t-on de tels modèles ? Y a-t-il des mythes qui les portent ? Il n'est pas du tout impossible que ce qui est rencontré ici à titre exceptionnel devienne beaucoup plus courant. Au fur et à mesure des transformations du couple, un autre imaginaire naîtra, le champ des possibilités relationnelles s'élargira et se diversifiera. Mais actuellement ce sont autour des maternités tardives que nous avons particulièrement repéré ces changements. Pourquoi ? Ne pourrait-on pas invoquer qu'autour de la venue de l'enfant tardif se trouve rassemblé ce qui habituellement ne l'est pas, à savoir une quête affirmée d'autonomie, une volonté d'indépendance et un profond désir de maternité ? Traditionnellement, ce qui accompagnait l'arrivée d'un enfant était un moment de vie fusionnelle, ou tout au moins une imagerie de la maternité tentait de représenter la naissance et le début de l'élevage autour de cette symbiose. Actuellement encore toute la littérature offerte aux femmes au moment de l 'accouchement implique une mise à l'écart douce, « layette », une invitation à se fondre dans un tel bien-être. L'altérité du nouveau-né est encore souvent à la limite de l'impensable. Réaliser ce temps chaleureux fusionnel et en même temps réaliser l'altérité de son enfant demande un fantastique changement de comportement. Volonté d'indépendance et autonomie ne sont-elles pas les forces nécessaires pour aboutir à un tel changement ? N'a-t-on pas sur nos corps, et au fond de nos mémoires, des restes de lambeaux d'une immense membrane qui nous tenait inclus dans la « horde » ? Ces femmes en marche vers des différences, en marche vers des autonomies se détachent par un incessant travail du groupe, pour peut-être y revenir mais cette fois-ci en sujet du groupe.

9

LE POIDS DE L'ENVIRONNEMENT

Tout ce qui se fait est accompagné par ce qui s'en dit, et parfois même ce qui s'en dit précède ce qui se fait. Le tout a saveur de rumeur. Qui nous en a parlé ?...

Jacqueline, architecte, avant d'avoir son premier bébé, a fait son enquête personnelle et pareillement pour son second enfant. Recherchait-elle des conseils, une approbation ? Elle n'est pas claire face à ce désir. « J'avais peur de regretter de ne pas avoir d'enfant », dit-elle, et ce regret, qui lui appartient et appartient aussi à tous ceux qui disent des femmes sans enfant qu'elles sont inaccomplies, ce regret la livre aux mots des autres. Pour la première enquête, elle a des réponses très positives : approbation générale et valorisation. Jacqueline a réussi sa vie professionnelle et maintenant elle crée sa vie de famille : l'enfant sera d'autant plus autorisé qu'il affirme la stabilité du couple, il est le symbole pour une femme encore bien plus que pour un homme de l'ancrage dans la société. On s'y retrouve : cette case est remplie et Jacqueline n'a fait qu'inverser l'ordre des choses, ainsi elle devient un peu comme tout le monde. Certes jamais elle n'a ni vécu, ni pensé cet ordonnancement, mais dans son entourage, certains avaient le sentiment que chaque chose était maintenant à sa place.

Pour le deuxième enfant, ce fut tout l'inverse ; on l'a pratiquement découragée : « Tu es folle, tu t'embarques dans des trucs pas possibles ! Deux enfants c'est une charge très lourde à ton âge ! » et, tout de suite on a parlé des accidents de la grossesse tardive. Jacqueline ne semble pas s'être laissé impressionner mais elle dira qu'elle n'a envisagé cette maternité que grâce à la possibilité de ponction amniotique. Elle ne s'est pas laissé prendre par tous ces conseils car la joie d'avoir eu son premier enfant lui a permis non seulement de faire face, mais de s'affirmer davantage pour ce deuxième bébé, dans son désir. Pourquoi en trois ans d'écart un tel changement ? Pourquoi passer des encouragements à la réprobation ? Ne lui aurait-on pas « accordé » sont premier enfant car c'était une femme de 40 ans, génitrice comme toutes les femmes mais pas pour longtemps encore, donc après tout, elle y avait bien droit... d'autant plus que l'enfant la « fixait », elle y perdait de la mobilité et c'était bien ainsi car toute mobilité de la femme double encore sa « dangerosité » naturelle. Elles sont toutes des diablesses et lâchées dans la nature, dans la vie professionnelle, elles sont encore plus dangereuses... ! La joie d'avoir ce bébé allait se trouver compensée par une perte : il y aurait, quelque part au fond d'un « nous collectif » informe et sans âge, des calculs secrets, fantastiques qui préciseraient un équilibre pour ne pas dire une équation entre le gain de l'enfant, de cette maternité et la perte partielle de la liberté maternelle. Mais... mais pour le deuxième enfant, ça change tout : tout se passe comme si on allait manquer de matériel pour réaliser la compensation du nouveau gain perçu en la personne du deuxième enfant car la perte de mobilité n'a plus la même importance. Jacqueline pourrait alors bénéficier par ce deuxième enfant d'un plaisir non compensé. Ce n'est pas juste et l'on va dire : « Pouponner à 40 ans, vous vous y voyez ? » — on trouve ça ridicule. « Et elle aura 60 ans quand son enfant aura 20 ans, vous vous rendez compte de ce que ça va donner !... On cherche tous azimuts ce qui peut dévaloriser l'entreprise de Jacqueline. Personne dans ce cas n'a même l'idée d'envisager en parallèle tous les inconvénients d'une grossesse juvénile en ajoutant par exemple : « A 20 ans on fait souvent son enfant sous influence... on réalise mal la responsabilité que représente l'éducation, et encore plus mal ses différentes dépendances... mais la jeunesse brillante saisit tout dans une aura lumineuse, dans une imagerie si classique qu'à la fois on est ébloui et on a le plaisir de faire coïncider la réalité avec la féerie. » Chaque âge, en fait, a ses bienfaits : ici nous ne parlons que de ces âges décriés car on les a condamnés au silence injustement.

Ce qui importe n'est pas tant ce qui est dit que le fait qu'au deuxième enfant les rumeurs s'inversent. Il y aurait des bruits qui demanderaient à être révélés, et des assauts d'opinions se manifesteraient à l'occasion. Bien souvent on n'entend rien, car on ne demande rien, mais y a-t-il du silence ? La femme qui vient de mener cette expérience est, pour une autre femme du même âge hésitante face à la maternité, une source d'encouragements, un exemple, voire un modèle. N'y aurait-il pas un fond de réprobation qui habiterait ce silence, qui donnerait une note de militantisme à l'accouchée âgée ?

Reste l'environnement plus lointain, la foule, la rue. Signalons une anecdote significative : une femme « âgée » enceinte de sept mois marche dans la rue. Un homme la croise, la siffle en lui criant : « Et la pilule, ça sert à quoi ?... » Cette agression est-elle en continuité avec la façon dont on a taxé Jacqueline de ridicule, lorsqu'elle a parlé d'un deuxième enfant ? Comment un homme qui passe dans la rue peut-il vivre une femme de la quarantaine, enceinte, sans pouvoir s'empêcher de l'interpeller ainsi ? Quelle revendication éclate brutalement, juste à la vue d'une passante ? Quelle rancune, quelle haine transférée d'un ailleurs sur cette femme, connue ou non, comme si soudain du fait de ce ventre, tout devenait contigu et qu'on puisse glisser des monceaux de rancœur, des méchancetés éclatées au fil des ans. L'inconscient et le conscient font boule. Engendrer encore... posséder encore cette puissance, à un âge où on devrait en être défait, où peut-être on possède d'autres avantages qui devraient aller avec une désexualisation. Un dégoût aussi, face à un physique méprisé, des rides, des cheveux blancs peut-être et le ventre de la femme qui doit toujours être sous un visage poupon, charmant, jeune en un mot. Cet abdomen gros d'un enfant n'est pas neutre, il inquiète, il est tout à la fois puissance et origine... Et puis il y a aussi l'envie non pas gratuite mais indéfinie de dire une vacherie à une femme parce que... parce qu'on traîne derrière soi toute une histoire, parce que face à une femme enceinte peut se déclencher toute une alchimie du pouvoir, une circulation très ancienne de « un prêté pour un rendu » sous des formes impensées mais qui brusquement se mettent à bouger.

Quand Balzac accordait à la femme de 30 ans une rallonge de vie affective et sociale, les comptes commençaient bien. Maintenant on offre de nouvelles rallonges à la femme de 40 ans, parfois déjà à celle de 50 ans. On dédramatise la ménopause, on exalte son dynamisme insoupçonné et ces décennies vivantes jettent sur le tapis des gains imprévus qui bouleversent les mises... bouleversent les mentalités. On disait : « Si elles ont loupé le coche jeune, c'est fini, c'est irrattrapable... » Et ne pas rattraper, c'était être vouée au destin, condamnée à suivre, à obéir, à n'être que dans ce suivi, et à ne pouvoir imaginer autre chose. L'impensable pour tout être humain mais encore dix fois plus pour toute femme, se formulerait de la façon suivante: « Avoir loupé le coche » est-ce maintenant une phrase fossile ? Certes oui, puisque nous avons rencontré ces femmes autonomes, certes non, puisqu'on les insultes parfois, que les médecins sont souvent incapables de les entendre.

Et pour que l'imaginaire social, c'est-à-dire ce grand réservoir d'images dans lequel nous puisons en permanence, s'enrichisse, évolue et soit partie prenante de l'aventure de chacune, il faudra que des femmes luttent pendant un temps indéfini, contre un tas d'obstacles dont tout un monceau d'images très anciennes, intactes où morcelées, à peine déchiffrables parfois. Pour toutes ces femmes sauf Judith, leur âge est beaucoup moins central que leur mode de vie, leurs activités professionnelles, leur entente avec leur compagnon. Leur âge est en somme détaché des 40 ans habituels, projetés par les siècles passés, comme leur maternité l'est de la maternité épanouissante des 20 ans. Elles sont artisanes et de nouveaux possibles existent.

10

PRATIQUE D'UNE CERTAINE LIBERTÉ

Dans un grand service hospitalier, un professeur vient de convoquer une de ses futures chefs de clinique : « J'avais juste un mot à vous dire : bien entendu, pendant la période où vous êtes dans mon service, vous n'avez pas d'enfants... »

Dans une grande firme multinationale, elle travaillait depuis déjà des années. Elle avait 38 ans, on l'a nommée à un poste dit supérieur, pensant que jamais elle ne se marierait et encore moins qu'elle aurait des enfants...

Dans un journal, elle a vu une annonce, elle y a répondu. Elle avait 42 ans. Quand on a su qu'elle était mère d'un enfant de 2 ans, on lui a dit que c'était impossible... On pourrait multiplier les exemples à l'infini et, qui plus est, ils ne seraient pas différents pour des femmes jeunes. Mais dans le cas des maternités tardives on s'y attend moins, ça ne fait plus partie d'un rôle dévolu à la femme, on rejette davantage encore, on ne veut pas savoir, on nie, l'effet de surprise aboutit à accentuer les pressions sur la femme afin qu'elle ne soit pas enceinte ou si elle l'est afin qu'elle s'en aille, qu'elle aille consommer sa liberté ailleurs. Il est certain que l'arrêt de maternité pose des problèmes d'autant plus contraignants que la femme occupe un poste de responsabilité mais il est tout aussi certain qu'on n'a en rien cherché à résoudre ces difficultés sauf dans quelques rares secteurs, qu'on ne fait que pénaliser, trouvant plus économique cette dissuasion que de réelles modifications dans les conditions de production. Tant qu'il n'y aura pas un sentiment de carence d'enfants, une prise de conscience démographique, on ne voit guère quelles motivations pourraient changer cet état de fait.

Mais n'en restons pas à la gêne des arrêts de travail. Il y a plus en effet : ne trouve-t-on pas incongrue cette grossesse affichée au dernier moment ? N'est-ce pas bien tard pour commencer à faire des enfants ? Elles sont en retard sur l'acheminement prévu des séquences de la vie. (*Voir ce qu'en dit Annette Langevin.*) Et ce tard qui devient retard est mal vu comme s'il y avait une course obligatoire. Si vous ne vous précipitez pas dans le mariage, et l'enfantement, c'est que vous n'êtes pas très forte, pas très sexy, voire un peu stupide. Vous serez mise au rancart, vous serez peut-être marginale. A 39 ans, pas de mari, pas d'enfant, même si vous avez une belle situation, on peut vous jauger avec mépris, à la limite on vous mettrait une note comme si la vie devenait un cahier quadrillé de cours préparatoire. Cette scolarisation du quotidien n'est-elle pas plus forte que les effets d'une liberté supposée ? Tout ce qui de loin ou de près manifeste une liberté nous étonne bien davantage que les comportements routiniers pour ne pas dire de soumission. Lorsque Heidi décide de refaire des études et d'avoir un deuxième enfant, à 33 ans, le tout en même temps, c'est un défi, défi par rapport à ce qu'on a prévu, ce qu'on imagine possible. Sa liberté est dans le choix qu'elle fait : elle « déscolarise » sa vie en agissant hors des attentes, des codes.

Mais « déscolariser » la vie n'est pas un acte qui se situe seulement parmi les rumeurs. Les femmes, avec la contraception, ont acquis une liberté qui n'est visible socialement que lorsqu'elle gêne. Tant qu'elles planifient leurs naissances comme on leur demande, tant qu'elles fournissent assez d'enfants, elles ne conservent de cette liberté qu'un confort d'organisation privée. Mais si elles tentent d'être l'auteur indépendant de leur planification, si elles agissent de façon imprévue, elles mettent à nu des relations sociales dans certains cas, qui couvertes du rêve démocratique se révèlent n'être que des relations gérées exclusivement par des rapports de forces. Autrement dit, si pour des raisons qui sont personnelles par définition, je veux maintenant un enfant, si je suis enceinte, mon employeur sait pertinemment que c'est du fait de ma volonté : je suis entièrement responsable de ce désir. Si ça le gêne, il tentera de réduire ma volonté, de la modifier. Et ma liberté, comme de l'autre n'est plus exactement ma liberté première. Sa mise en pratique la transforme, ce que tout le monde sait, mais dans le cas de la maternité « gênante », c'est l'aventure strictement privée d'un être qui affronte l'aventure sociale, il n'y a aucune médiation. Et cette immédiateté révèle qu'en dehors des rapports de force, on ne trouve guère d'autres rencontres ; surdité et incompréhension s'installent au bénéfice d'une logique qui s'instaure ailleurs, d'une part à l'échelle de la production, d'autre part au niveau de ceux qui ont le pouvoir, l'argent. Mais le rêve de la liberté persiste important sans à peine être utilisé pour repenser l'organisation de nos sociétés.

Reprenons le cas de la femme chef de clinique à laquelle on dit : « Ne faites pas d'enfants pendant que vous êtes dans mon service. » Mettons momentanément de côté l'ensemble des difficultés provoquées par l'arrêt de travail, dont nous ne voulons en rien nier l'importance, mais dont nous ne pouvons pas non plus nous servir pour masquer un autre aspect de la réalité, que constate-t-on ? Le « patron » considère la femme médecin comme un outil de travail qui doit se plier à sa volonté : il est le chef, elle est sa chose, c'est une relation qui remonte à la nuit des temps. Il n'y a aucun dialogue, aucune reconnaissance de l'autre qui pourtant en médecine devrait être un moment important dans la production médicale. Dans cette éventuelle « équipe », toute réciprocité est barrée du fait qu'on saisit l'autre par le biais de la hiérarchie. Tout se passe comme si on vivait dans la peur de la rencontre de l'altérité et que la distribution des tâches, qui devrait avoir lieu avec un minimum d'échange, a lieu dans l'ignorance complète de l'autre. C'est bien plus que la séparation de la vie privée et de la vie professionnelle, c'est quelque chose qui s'apparente au « moi, je ne veux pas le savoir » et qui truque le fonctionnement social. Et là encore tout s'établit sur le jeu des rapports de force ; un tas de possibilités sont écartées car elles ébranleraient le modèle hiérarchique. Cette femme enceinte, chef de clinique, ne saurait-elle pas tirer parti de son état, en tant que médecin ? N'aurait-elle pas à trouver sa place puisqu'elle existe, ou faut-il reconnaître que ce sont les places toutes faites qui sont plus importantes que l'existence des êtres ? Qui est sujet ? L'institution ou les acteurs qui aménagent et font fonctionner l'institution ? Si on la refuse à cause de son désir d'enfant, elle sera niée, comme si justement elle n'existait pas. Pas de place, à la limite : pas d'existence reconnue. Cela n'a rien de spécifique à la maternité tardive mais ça éclate à son propos.

Cette façon de nier n'est pas simple : elle a une seconde face. Si ce médecin, chef de service, a pu ainsi parler, c'est parce que cette femme est maîtresse de sa fécondité, il est obligé de le reconnaître, il sait qu'elle possède cette liberté et il réalise de quelle violence il doit user pour la vaincre. Il reconnaît à la fois qu'on lui échappe et qu'on peut lui être davantage soumis, il y a là une nouvelle plate-forme de négociation même si la négociation est absente.

C'est un bouleversement microscopique dans l'obscurité

des relations humaines. Certes, toute acquisition, tout nouveau droit qui donne à la personne plus de liberté provoque et participe à ces révolutions invisibles, mais lorsque ce gain de liberté touche à la reproduction de notre espèce, sa portée devient immense.

11

MÈRES EN RECHERCHE

« Vous ressemblez à votre grand-mère, revendicatrice comme elle, et ce petit que vous venez d'avoir, contre vents et marées, vous comble de joie... » Elle lui tapota la joue, l'embrassa puis quitta la chambre. Par la porte à peine entrouverte, on entendit le piaillement des nourrissons. Madeleine pensa qu'elle ne ressemblait pas à sa grand-mère. Elle m'en fit part six mois plus tard quand elle me reçut dans son bureau : « Je cherche à me connaître, je me méfie de mes évidences, je sais combien je peux fuir avec tout un tas de bonnes raisons, ma grand-mère n'a pas fait ça. » J'ai la chance de détenir toute une partie de sa correspondance. C'était une femme qui constestait beaucoup de choses de son temps, mais elle était très morale, ses recherches s'arrêtaient au seuil des personnes. Elle les jugeait en utilisant des références extérieures ou elle ne les jugeait pas. Elle disait par exemple : « Je ne pense rien de Lucas. » En ça elle était en avance sur son temps car tout est exprimé dans ses lettres comme si elle se doutait que Lucas à lui tout seul était « un monde... » Et comme je l'invitais à préciser les différences entre elle et son aïeule, elle m'expliqua ce qu'elle appelait

« ses chances » : « Je suis née à un moment où j'ai pu bénéficier de... je dirais d'outils de liberté : la pilule, une psychothérapie, et du travail. J'ai pu choisir le moment de la naissance de mes enfants, j'ai pu comprendre un peu mes comportements et ceux des autres et par mon travail je suis devenue autonome ce qui m'a permis encore de mieux me comprendre et de choisir non seulement la naissance de mes enfants mais beaucoup d'autres choses, etc. J'ai eu le sentiment d'échapper à un cercle vicieux et de pénétrer dans une spirale confortable, ma grand-mère était condamnée à être dans un cercle vicieux. Il y a encore beaucoup de gens qui sont partisans de ces cercles. Maintenant vous comprenez la différence entre moi et elle. » Elle n'avait jamais prononcé au cours de l'interview le mot de projet ; ce n'est qu'en la quittant que je m'en aperçus, mais elle avait eu une petite phrase que j'avais oubliée et que le magnétophone heureusement me remit à l'oreille : « Ma grand-mère avait la volonté d'être au monde en faisant quelque chose qui donnait un sens à sa vie. » N'était-ce pas de l'ordre du projet ?

Aujourd'hui, elle affirmait sa non-ressemblance en insistant sur ce que représentait pour elle sa tentative de connaissance d'elle-même, la connaissance de soi. On pouvait supposer que cette démarche était, pour Madeleine, autant une tentative de relation à elle, qu'elle était une relation au monde. Ne faisait-elle pas ainsi le lien entre deux aventures, l'une menée au-dedans, l'autre conduite au-dehors, là où intentions, vœux, buts s'appuyaient ? Cc double cheminement ne serait-il pas un des traits caractéristiques des projets humains ? Le « dépassement » n'implique-t-il pas cette exigence ?

Mais d'autres ont évoqué à l'inverse de Madeleine toute l'horreur que le mot « projet » leur suggérait : fuite, échappée du concret vers des rêves, vers l'irréalité, négation du quotidien, méconnaissance du présent au bénéfice d'un plus tard, velleités, etc. Parfois elles semblent envisager le présent comme un tout déconnecté, et du passé et du futur. Une sorte d'urgence fait que toute leur énergie s'investit dans l'immédiat : elles sont pour le « coup par coup », pour l'adaptation au moment. Elles estiment dangereux l'étalement dans le temps, les prévisions, et pourtant toutes planifient la naissance de leurs enfants, ont reçu des formations professionnelles en vue d'un métier prévu à l'avance en partie, etc. Cela dit, leur discours est comme « barré » : s'affirmer dans le temps semble difficile.

Par contre, Juliette n'exprime en rien ces réticences : « Quand j'ai eu plus clairement en tête qui j'étais, j'ai décidé de faire un enfant. » Cette connaissance d'elle est un élément de son projet, d'une telle importance qu'elle ne veut s'engager dans l'enfantement qu'à partir de là. Jeune, elle voyait le monde avec le regard qu'on avait posé sur ses yeux. Elle portait dans son enthousiasme ou son indifférence un tas d'image mêlées, un tas d'émotions imprécises. Sa jeunesse coexistait presque avec sa méconnaissance d'elle-même. C'est au fur et à mesure de l'abandon des idées toutes faites, des difficultés professionnelles à régler qu'elle a dû prendre connaissance de son non-savoir sur elle. En même temps l'hyperactivité qu'elle déployait ne lui laissait qu'à peine le temps de réfléchir, de méditer. « J'avais trop de soucis, je sentais bien que je n'arriverais pas à savoir qui j'étais. » Or Juliette se refuse à envisager son identité dans le fait d'avoir un enfant : elle veut d'abord se trouver, être autonome avant de s'engager dans la maternité, dans laquelle elle ne veut pas se fondre.

Une femme de trente ans célibataire et sans enfant disait dans le même sens : « Les gens ne comprennent pas qu'il faut d'abord être soi-même, en pleine possession de son être entier, de son corps, pour envisager de se reproduire... »

Cette soif de connaissance, on la note sans cesse. Madeleine est allée encore plus loin dans cette exigence: « A 34 ans passés, après un drame familial, je me suis mariée mais j'étais encore submergée par tous ces événements. Immédiatement enceinte j'ai avorté, me jugeant incapable d'élever un enfant, encore bouleversée et aussi ignorante de moi-même. J'étais persuadée que les névroses ça éclaboussait encore plus les petits que les grands... » Entre-temps elle avait peu à peu organisé sa vie, entrepris une psychothérapie.

Plus tard, Madeleine eut deux fils, à 37 et 39 ans. « J'ai été élevée traditionnellement et très chaleureusement: à la maison, je me diluais dans la volonté de mes parents non pas par sens du devoir mais par amour... J'existais à peine car ils existaient pour moi. Je me suis gentiment laissé manger à mon insu, toute crue, dans la douceur, dans la chaleur adorable d'un état de fusion familiale, dans l'ignorance totale de tous... Vous comprenez pourquoi j'ai voulu faire une thérapie avant d'être mère à mon tour... savoir quand même la signification de mes gestes!... »

Dans leur connaissance d'elles-mêmes, ces femmes nous parlent aussi des autres. Quand Heidi découvre qu'elle peut avoir des désirs qui sont à prendre en compte, c'est l'autre qu'elle découvre en même temps, celui qu'elle avait rendu responsable de son « destin ». « Ça ne sert à rien de reprocher à l'autre de ne pas avoir pu faire ce que je voulais, c'est à moi d'agir. » Tout se passe comme si, se connaissant mieux, elle est libérée à la fois pour agir et pour rencontrer l'autre, et la condamnation qu'elle faisait peser sur son mari s'efface, la situe au sein du couple dans une nouvelle réciprocité.

Nicole, qui a eu sa deuxième fille à 37 ans avec Jean, est en train de changer de métier. Elle analyse toutes ces étapes depuis sa sortie de l'université jusqu'à maintenant avec sérénité. Elle se découvre elle-même en découvrant ses nouveaux besoins qui la poussent à ce changement. « C'est un renouvellement extraordinaire... et si j'en suis capable à 40 ans, je pourrais m'orienter vers la médecine à 50 ans et vers polytechnique à 62 ans !... Ça me donne l'impression que rien n'est figé... Puisque j'ai fait ce pas, maintenant j'ai le sentiment que je pourrais le faire n'importe quand... » Elle ajoutera, sur un autre ton, que son divorce également avait été une expérience pénible, mais qu'elle n'en était pas morte, et qu'on ne pouvait pas savoir si un jour ça ne se reproduirait pas. Nicole semble s'être rencontrée au cours de tous ces événements. Comme Madeleine, elle a fait une psychothérapie qui devait faciliter cette connaissance qu'elle tente de bâtir : c'est sa première sécurité. Quoi qu'il arrive, semble-t-elle vouloir dire, je ne serai pas emportée par les événements, je les vivrai avec mon propre savoir sur moi-même, je naviguerai en mêlant à l'inconnu toujours quelque chose de connu, de repérable pour moi, je pourrai me transformer à leur contact sans craindre de me détruire. Nicole ne tente-t-elle pas par sa lucidité d'éloigner le malheur, ne serait-ce pas un résidu de superstition, un reste de magie, cette connaissance devenant une puissance protectrice ? Mais peu importe car aucun comportement n'est d'un seul tenant, au contraire, il s'agit toujours d'une construction lente et complexe qui évolue. Dans tout comportement des éléments se condensent au point de devenir méconnaissables, en particulier certaines angoisses archaïques se retrouvent dans des attitudes rationnelles, masquées par tout un arsenal logique.

Et se connaître n'est pas qu'identifier ses origines, retrouver ses racines, c'est aussi entrer dans une démarche plus dynamique d'un savoir sur soi en train de se faire, dans le monde, dans le jeu permanent des tentatives de maîtrise, d'adaptation, de suivi. Le projet ne devrait-il pas contenir ces stratégies pour être mené ? Et la maternité, la mise au monde, la tenue de l'enfant ne demandent-elles pas ces attitudes choisies précisément en fonction des conditions et des moments de vie ? N'est-ce pas un travail fantastique que d'équiper son enfant pour le faire participer à l'humanité... Et ce travail ne suppose-t-il pas toute cette application que nous suggèrent ces interviews ?

12

CONSTRUIRE SON IDENTITÉ

Avoir une identité paraît aller de soi, c'est pourtant le résultat d'une immense histoire. Nos aïeules, celles dont seules les archives paroissiales possèdent encore le nom, quelle était leur identité ? Et ce nom qui nous signale, qui condense en un mot tout ce qui indique notre différence et nous empêche d'être pris pour l'autre, d'être confondu avec n'importe qui, ce nom représente la plus ancienne trace d'identité. Dans de nombreux pays, les femmes en se mariant perdent leur nom. Parfois au cours de procédures administratives, elles s'appellent du nom et du prénom de leur mari. Evelyne Ramer s'appellera madame Luc Dupont. L'identité certes n'est pas d'être nommée, mais n'est-il pas opportun d'indiquer que c'est au moment où des pratiques d'enregistrement effacent encore, comme allant de soi, des noms d'épouses, que des femmes montent à l'assaut de leur identité. Il ne s'agit plus d'avoir un nom et une adresse à soi, mais d'aller beaucoup plus loin, d'inventer une harmonie entre ce que l'on sait de soi, ce que l'on ressent, ses désirs et l'alentour. S'identifier ce serait agir en retrouvant dans l'action le sens qu'on a voulu lui donner et qui correspond à qui nous sommes. Ce serait une révolution discrète invisible.

Cela ne se manifeste en rien brutalement : il n'y a pas de « nuit du 4 Août » dans l'épaisseur des vies quotidiennes. Mais on abolit les privilèges qui enserrent les femmes dans une infériorité devenue évidente, dans des modèles d'asservissement qu'on louait comme leur grandeur. Si on suit les multiples indications qu'on nous propose, au fond des chemins tracés, notre identité est affaiblie en ce sens que nous devenons essentiellement des exécutants d'invisibles volontés sociales. Dès l'adolescence, on nous conseille de nous ignorer, de nous marier et d'avoir des enfants et un métier pour un salaire. Cet avenir est légitimé bien souvent par les pratiques de nos propres mères. Autrement dit, tenter d'ouvrir des voies nouvelles, d'être soi-même et de faire valoir sa différence, ses goûts dans sa vie privée, professionnelle, sociale et politique, bref refuser les moules tendus par poignées, refuser d'être le numéro pointé dans une série, c'est mener une double lutte : sur le front social où tout va à l'encontre d'une telle évolution, et sur le front de l'inconscient, celui des images maternelles, sacrées quelque part, à force d'être plongées dans notre vécu le plus profond, l'enfance oubliée. Et faire autrement que sa mère serait aussi entrer en rivalité avec elle, affronter la culpabilité œdipienne. Ce n'est donc pas une petite bataille puisqu'elle s'étend jusqu'à l'horizon des sociétés et qu'elle s'enfonce dans ce qui a précédé nos prises de conscience. Cela n'empêche pas que la majorité des jeunes filles ont dans la tête à 16 ans un rêve de dépendance : être aimée, faire un beau mariage, avoir un belle robe, être enlevée, pourquoi pas ? Etre douée de beauté et de passivité. Même si on dit à ces jeunes d'« avoir une belle situation », les images qui encombrent leurs rêveries ne correspondent pas à cette situation, qui devient ce qu'on obtient par chance, beaucoup plus que par l'acquisition d'une compétence. Le destin lié au hasard de la rencontre, du don, peut condamner les femmes à une mentalité infantile: elles seraient entre les mains d'un père Noël dont la générosité serait imprévisible. Sur ce fond, il faut tenter de distinguer celles qui échappent à cette mentalité.

Que ce soit Nicole, au moment de son mariage à la sortie de l'université, qui se précipite dans un enchaînement qu'elle a attendu, dans une maternité conditionnée, dans une « vie pré-vécue », ou Juliette qui croit qu'une bonne situation pour une femme c'est d'être la femme d'un médecin, ou Heidi qui s'enfonce à 19 ans dans l'organisation routinière d'une épouse avec immédiatement un bébé dans les bras, ou bien d'autres qui prennent pour leurs intentions celles qu'on leur fournit toutes prêtes, garanties pour leur qualité, leur valeur, que ce soit nous toutes, il y a un temps à prendre sur nos propres vies pour fabriquer d'autres imaginaires, des réserves muettes de propositions que chacune utilisera dans la construction de son identité. Ce n'est pas un hasard si en interviewant ces femmes sur la maternité tardive nous avons rencontré cette recherche et ce besoin d'identité. « Avant d'être mère, il faut être femme, disait l'une d'elles, sinon, cette mère qui ne sait pas quelle femme elle est, lorsqu'elle mettra au monde une fille, des filles, reproduira le schéma des femmes productrices d'enfants, des femmes éliminant pratiquement l'homme, elle refera des "filles-familles" et on n'en sortira pas... » Elle envisageait ainsi un blocage: les processus d'identification et de différenciation comme arrêtés par un système de reproduction rapide et sans défaut. Elle remettait en cause le poids de la filiation et voyait dans ces femmes mères tardives une façon d'échapper à la standardisation. « Ça nous guette toujours, et je crois qu'une espèce est d'autant plus riche de possibilités qu'en son sein fourmillent des êtres différents. Qu'y aurait-il à craindre de ce côté-là, le danger viendra des foules amorphes ! » Et l'enfant tardif grandirait face à des être vivant l'inachèvement de leur identité, ils verront donc l'aventure adulte comme une autre croissance. Mettront-ils en question les modèles qui structurent notre société ? Que proposeront-ils ?...

Construire son identité, c'est aussi devenir autonome.

Pour prendre la décision d'avoir un enfant, toutes ces femmes ont désiré être autonomes, comme nous l'avons déjà vu. Cette autonomie ne passe pas exclusivement par la revendication de nouveaux droits, mais également par la possibilité d'exister autrement. Madeleine comme Nicole a changé de métier et ce n'est que par son nouveau métier qu'elle se sent acquérir cette autonomie : « J'avais le sentiment que la rupture entre ce que je faisais et qui j'étais avait disparu. L'autonomie, c'est aussi quelque chose de continu dans l'être... le morcellement, le vrai, le « métro-boulot-dodo ». On est usé par ça... et elle précisera : « Partout j'avais moins peur car partout j'avais l'impression d'un peu comprendre, ça me rassurait, j'avais envie d'agir... »

A partir de 36 ans, Juliette estime que son équilibre et sa sécurité personnelle lui permettent presque de faire un enfant toute seule. Son autonomie passe par l'harmonie entre une mise à jour de ses problèmes, ses angoisses, qu'elle affronte avec aisance, et une somme d'acquis qu'elle considère comme tout autant indispensables : une sécurité affective, une sécurité dans son emploi et dans sa compétence. « Mais pensez-vous que tout ça soit indispensable pour avoir un cnfant ? » — « Pour moi, c'est une nécessité si on veut donner du temps, de l'énergie, de l'attention, le tout dans l'amour et la complicité. » — « Mais si tout le monde avait de telles exigences, l'espèce finirait par s'éteindre... » Je me trompais, m'expliqua-t-elle, parce qu'il y aurait beaucoup moins de gâchis et qu'actuellement ce gâchis est une partie structurelle de l'organisation, à tel point qu'il en est invisible... Il y a peu encore toutes ces précautions étaient inimaginables. Ces femmes semblent démasquer un champ relationnel beaucoup plus complexe qu'on aurait pu l'imaginer. Dans cette application qui fait justement qu'elles ne sont pas que des mères tardives, les plus radicales revendiquent simultanément le droit à « l'existence plein-être », le droit à pouvoir donner leur mesure à l'enfant, et à covivre avec lui.

Ce n'est pas la simple réfutation de la femme-objet mais c'est l'exigence systématique d'être une « femme-sujet » sans pour cela ne s'impliquer que dans la guerre des sexes. C'est l'exigence de mettre au monde des « enfants-sujets » et non « objets » d'une société. Ces revendications sont nouvelles en ce sens qu'elles sont énoncées par des femmes qui ont la quarantaine, un enfant petit et un métier avec des responsabilités : ainsi leurs paroles ne précèdent pas un discours, mais elles accompagnent leurs actes. Cette façon de s'exprimer n'est pas si coutumière... d'autant plus qu'elles viennent, comme toutes les femmes, des espaces du « dévouement ». Jadis, dans le rôle féminin était assigné le dévouement, c'est-à-dire l'acceptation paisible d'un « manque à être » secondaire à toutes les dépendances biologiques, sociales et imaginaires. La moitié de l'espèce, définie par sa capacité de reproduction, s'est trouvée comme verrouillée doublement par le système suivant : d'une part, une réalité biologique qui la définissait et l'enfermait physiquement dans la faiblesse, la fragilité, les couches à répétition et des morts prématurées, d'autre part, s'appuyant sur cette première réalité, une autre réalité sociale et imaginaire qui légitimait la dépendance biologique et en accroissait le poids. Ces mères tardives, au cours de ces rencontres, ont parlé de la vie qui s'offre devant elles, certes après avoir justement ouvert ces verrous à double tour, mais dont elles n'ont pas précisément parlé.

La réduction des existences féminines, qu'en était-il au juste dans l'imaginaire social ? Ne contribuait-elle pas à donner l'illusion à l'autre moitié de l'espèce qu'elle avait un surplus d'existence ? Cette référence à la faiblesse des femmes ne permettait-elle pas de croire qu'on avait une meilleure place, que tout petit, tout humble ou tout pauvre qu'on pouvait être, on avait toujours à sa disposition plus petit, plus humble et plus pauvre, à savoir une femme ? Le féminisme, les revendications dont nous venons de parler, à long terme n'influenceront-ils pas nos imaginaires, la façon d'envisager la distribution des rôles, les investissements, le système de nos valeurs ? Et ces femmes avec leur petit dans leurs bras, qui pourraient être tout aussi bien leur grand-mère que leur mère, n'ont pas l'éclat de la jeunesse mais en possèdent un autre, celui que donne une « force tranquille », cette force de propositions. Elles proposent de revoir autant la vie privée que la vie professionnelle. N'est-ce pas un indicateur pour suivre de possibles évolutions futures que cette quête de la qualité dans l'exercice d'une profession, de cette adéquation entre un être et son action, cette exigence de se signifier à soi-même par la pratique d'un métier, de construire aussi son identité dans le travail. Dans l'état actuel, c'est à peu près l'inverse comme le montre R. de Saint-Saulieu dans *L'Identité au travail*[1].

Et ce désir d'élever leur enfant autrement, cette dimension tout autre qu'elles assument simultanément, donne aussi à leur revendication un profil original. Elles ne veulent plus être des mères nourricières, mais des mères accompagnant leur enfant dans son développement. Elles savent qu'elles ne sont ni des exemples, ni des manuels, mais elles essayent de savoir qui elles sont et de quel amour elles sont capables. Nicole ira jusqu'à dire : « J'ai l'impression que ceux qui profitent le mieux de mon évolution, des bénéfices que j'ai pu tirer de mes activités professionnelles, de ma psy-

1. Presse de la Fondation nationale des sciences politiques, Paris, 1977.

chothérapie, ce sont mes enfants. Mon changement le plus tangible, c'est ma façon d'agir avec eux. On avait le sentiment, à l'entendre, que son autonomie avait le pouvoir de faciliter l'autonomie des autres.

Comme elles se perçoivent autonomes, leur projet éducatif a plus de force ; elles veulent en général tenter avec leurs enfants de nouvelles relations où le jeu sacro-saint dominant-dominé ne soit pas au premier plan. Elles parlent de respect mutuel, je dirais de leurs « colibertés ». Elles savent également que leur amour est ambivalent, que l'on peut « dévorer » son petit dans l'obscurité de sa méconnaissance, voire dans la clarté de sa propre connaissance. Plus je les écoutais, plus j'avais envie de rencontrer un jour leurs enfants, nos enfants... grands, adultes presque, pour voir ce qu'il resterait de tous ces efforts, de ces années passées en compagnie de ces mères en recherche.

Je suis restée des heures à les écouter, à les regarder, le plus souvent chez elles. J'ai toujours vécu les interviews comme des rencontres asymétriques où — non par nécessité technique, je dois l'avouer, mais par besoin d'une relation vivante — j'offrais une écoute qui se voulait intense. Je me perdais presque face au surgissement des fragments de leur vie, écailles perdues d'elles-mêmes. J'aurais voulu suspendre ma respiration pour mieux saisir tous ces mouvements qui se dessinaient dans l'immobilité de leur discours... Alors j'ai cru par moments qu'à force de les suivre, j'avais oublié mes intentions premières, j'ai cru n'avoir pas exploré ce que devait être le projet, ce que j'avais mis dans ce terme. Et j'ai redit « désir d'enfant » au lieu de « projet d'enfant ». Mais j'ai découvert combien était important pour elles tout ce qui leur avait permis de se connaître et d'accroître leur maîtrise. Elles m'ont fait penser à de nouvelles citoyennetés. Et peu à peu, au fil des réflexions et des lectures, j'ai retrouvé mes premières questions.

« Vouloir un enfant, c'est prendre une revanche contre les limitations infligées, réaliser des projets magiques... on joue son statut d'adulte en se trouvant à égalité avec les parents quant à l'aptitude à procréer... L'enfant serait alors vécu comme complément d'identité et non comme un être distinct qui aurait à vivre son propre devenir[1]... »

Que penser d'une telle affirmation après avoir entendu ces mères tardives ? Apparemment, rien chez elles ne signale « la revanche contre les limitations infligées », leur propension pour des projets magiques semble pour le moins discrète, enfin leur statut d'adulte est acquis par ailleurs puisqu'elles le considèrent comme nécessaire pour envisager de procréer et non offert par la procréation qui les mettrait à égalité avec leurs parents. Ce serait donc tout un ensemble d'attitudes par rapport à leur filiation qu'il faudrait préciser. Et cette sorte de distance, pour ne pas dire de libertés qu'elles prennent vis-à-vis de leur enfance, de leur contexte familial, n'est-ce pas une des premières conditions pour envisager la construction de leur avenir, à savoir pour mener à bien leur projet, pour échapper au même, à la répétition, pour entrer en évolution ? Qu'en sera-t-il des relations humaines au sein de ces nouvelles familles et au-dehors ?... Si on peut actuellement miser sur d'éventuels changements, on peut surtout affiner questions et curiosités.

T. Lainé dira encore : « Plus une femme se trouve libérée, plus elle a de chance de permettre ou de favoriser finalement que ce " meurtre de l'enfant ", objet du désir premier, se réalise[2]. » Il s'agit du meurtre d'une image, l'image qu'on se faisait de son enfant avant la naissance, qui peuplait notre imaginaire et qui gêne notre rencontre avec l'enfant réel d'autant plus qu'il existe éventuellement un écart important

1. T. Lainé, *Cahier du CERM*, nº 163, p. 42.
2. *Op. cit.*, p. 33.

entre les deux[1]. Ces nouvelles maternités tardives n'invitent-elles pas à interroger et nos imaginaires et nos relations de filiation ? L'autonomie maternelle et l'acquisition d'un statut indépendant atteignent les structures habituelles des liens familiaux. A la limite, on pourrait envisager que l'aventure familiale évolue sur une courbe dont l'origine serait dans la fusion forte où personne n'aurait d'individualité mais posséderait une place assignée dans l'espace familial entièrement marqué. Au fil des temps et des changements, la fusion perdrait de sa toute-puissance, les personnes pourraient s'individualiser, les emplacements deviendraient moins spécifiques, les repérages moins intenses. En fin de courbure, on serait en droit de projeter le lieu familial comme mixte, possédant toujours son fond de fusion, sa trame de relation filiale et, de plus, un espace où s'associeraient les sujets familiaux à travers différents types de relations plus ou moins choisies, plus ou moins négociées. Dans ces relations, la réciprocité serait la pièce maîtresse permettant la reconnaissance mutuelle nécessaire à l'identification des différents partenaires. Si cette façon d'envisager l'évolution des relations implique une continuité, elle n'est pas en contradiction avec l'apparition de changements profonds. On pourrait caricaturer à l'extrême en proposant que de l'être appartenant plus au groupe qu'à lui-même on se dirige vers un être appartenant dialectiquement et au groupe et à lui-même. Autrement dit, c'est imaginer le jeu relationnel parental ailleurs que dans le rapport appartenance/dépendance, et en ce sens, les femmes que nous avons rencontrées, par leurs attitudes et leur manière de considérer leur vie avec leur enfant, évoquent une telle tendance.

Si dès la conception, et « la revanche » et le besoin d'égalité avec les parents saisissent à bras-le-corps les mères et

1. Voir *On tue un enfant*, S. Leclaire, éd. du Seuil.

les pères, l'enfant ne se trouve-t-il pas pris d'emblée dans un maillage étroit ? La répétition des destins ou ce qui s'en rapproche est hautement prévisible : les projets des enfants continueront les projets des parents. Mais peut-on encore parler de « projet » puisque tout en serait décidé bien avant ? Tout semble livré presque d'un seul bloc : il n'y a pas de discontinuité, les groupes sont soudés (ce qui d'ailleurs d'un point de vue politique en facilite la gestion, mais c'est un autre sujet...). Il faut pour qu'on puisse s'embarquer vers de nouveaux modèles de mode de vie, de rencontre et de relations, imaginer que notre fils, notre fille songent à d'autres projets. C'est à la fois un risque à prendre et une garantie d'échapper à l'érosion de nos sociétés.

Sans doute le mot « projet » renvoie à d'invraisemblables pressions que des parents anxieux peuvent parfois exercer dans la peur que leurs enfants embrassent tel ou tel « destin » incongru ; alors, ce mot évoque une restriction de liberté, un endoctrinement, parfois un véritable massacre des aspirations des plus jeunes aboutissant à la foule des rêves morts, foule immense s'il en est une... bref, c'est à cause de cette face noire du mot qu'il devient insupportable.

Et pourtant... dans un tout autre contexte, le terme reprend sa lumière, son élan.

« J'ai plein de projets pour ma fille, dira Juliette, mais en même temps, tous ces projets, j'espère que je saurai y renoncer, que je saurai la respecter pour ne pas vouloir à tout prix qu'elle rentre dans mon projet. » Jacqueline, Nicole, Heidi, Madeleine et d'autres ont tenu un discours analogue. Elles sont à ce sujet paisibles et sur leurs gardes. Elles décrivent dans la relation mère-enfant souvent une relation de va-et-vient entre leurs intentions et la liberté de leurs enfants. Certes, on n'est pas neutre quand on écoute ou qu'on prête attention, une mère n'est pas une analyste assise dans un fauteuil entendant la voix de son client allongé dans un coin de la pièce. Une mère, c'est une femme riche en investissements, en rêves, en intentions, c'est ce tout qui joue dans ses comportements, sa façon d'écouter l'enfant, d'être attentive, d'avoir des antennes. Et ce fantastique équipement maternel, il n'est pas question de l'amputer, de le dessécher, mais il faut être conscient de son ambivalence, des dangers qu'il peut engendrer. Et Madeleine à ce propos disait: « Il faut savoir couver des canards, car les femmes couvent toutes des canards, à l'inverse de ce qui se passe chez les animaux où il s'agit là d'une exception. Il nous faut à chaque enfant s'adapter à sa nouveauté, à son étrangeté, les saisir, et participer à son épanouissement pour que nos petits atteignent leur dimension d'adulte "autre". C'est bien pour ça que j'ai du mal à vous répondre, à propos du projet. Il y a tellement d'ajustements dans nos démarches que notre projet initial, plus ou moins flou au départ, ne nous sert que pour le démarrage, ensuite on le délaisse plus souvent en chemin qu'on ne l'utilise comme fil conducteur... Parfois je n'en fais qu'à ma tête, j'ignore la volonté de ma fille, puis brusquement j'en prends conscience, je fais marche arrière, je reprends la situation, je regarde mon enfant, je la cherche et je tente de ne plus lui imposer ma "fille imaginée", celle dont nous parlions. L'éducation, c'est du bricolage et non pas tant des grands principes... Projet en "kit" à monter en famille... »

Un trait commun sur lequel nous devons revenir est la « responsabilité ». En effet, toutes les femmes interviewées se sentent, se veulent responsables de leurs enfants. Certes les femmes ont toujours eu cette responsabilité vis-à-vis de leur progéniture, et juridiquement ce que fait l'enfant mineur retombe sur ses parents du point de vue civil. Mais ces mères tardives souhaitent cette responsabilité que représentent élevage et éducation, elles l'assument volontairement. Elles veulent s'éloigner au maximum de tout ce qui rendait les femmes infantiles et en particulier, elles veulent pouvoir

« payer le prix » de cette responsabilité, elles veulent respecter les règles du jeu, comme elles veulent respecter la réciprocité dans les relations avec leurs enfants et leur conjoint. Ce qui était naguère parfois une catastrophe, être obligée d'assumer la responsabilité d'une famille, ces femmes-ci, « équipées », le décident librement et s'organisent sans amputer pour autant leur propre vie.

Vers 35 ans, Juliette a une situation précaire, beaucoup de soucis, elle ne se sent pas disponible encore pour avoir un enfant, elle est trop encombrée par son présent. A 39 ans, elle « s'en sort », elle s'affirme, ses problèmes personnels s'effacent un peu car l'action devient plus facile : « Je me sentais plus coordonnée à l'intérieur. »

La décision d'avoir un enfant se place dans ce champ, soudain « plus coordonné ». « Je savais que je pouvais maintenant supporter la charge morale et financière de mon enfant ». C'est une double exigence qui questionne à la fois le projet et la continuité avec des comportements maternels habituels. En particulier, cette quête correspondrait-elle à une vision moderniste du besoin d'accaparer l'enfant ? Le « je suis responsable de mon fils ou ma fille » remplacerait le « c'est mon fils à moi », « ma fille m'appartient ». Il n'y aurait alors qu'un glissement et l'on rationaliserait le fait de sa possession en utilisant un discours objectif du type « je peux en payer le prix » où se logerait parfaitement « la chose à moi : mon fils, ma fille... ». Mais à les entendre, on ne peut se méprendre : la responsabilité qu'elles réclament est autre. Au sens précis du terme, « être responsable » signifie devoir répondre, être garant de quelqu'un. Par exemple, le père est responsable du dommage causé par son enfant (responsabilité civile). On est lié à une personne, à ses actes pour le meilleur et pour le pire et donc on s'engagerait non pas tant vers le projet que vers un avenir indéterminé, où l'on devrait assumer les conséquences de ce qui se fera ultérieurement. Le lien s'inscrit dans la réparation des dommages et intérêts d'un préjudice, ici entraîné par l'enfant. La responsabilité devenue une nécessité pour ces femmes mères tardives, quelle signification prend-elle ? Ce n'est pour elles qu'un premier acquis qu'elles refuseraient sans doute si avoir un enfant ne représentait que des coûts à payer, des menottes à porter face à des engagements sur lesquels elles n'auraient pas de prise. Non, ici, la responsabilité est de porter le poids de l'immaturité, et de pouvoir le porter seule s'il y a lieu, afin de jouir, quoi qu'il arrive, de l'aventure maternelle, de l'aventure filiale, comme on l'entend. Et c'est bien à cause de ce « comme on l'entend » qu'on présuppose quelque chose du projet dans cette quête de responsabilité. Lorsque Nicole déclare qu'elle veut assumer seule la responsabilité de son enfant, qu'elle ne veut rendre de comptes à personne, elle affirme vouloir s'aventurer dans l'avenir sans rien savoir au juste de ce qui pourra s'y installer mais en sachant précisément qu'« elle sait faire » avec les enfants et avec Jean. Certes, on ne peut pas lui prêter des projets ; elle déteste ce mot et revendique l'art de vivre au jour le jour qui est sa philosophie, mais il faut l'écouter encore car cette responsabilité qui sera donc menée « au jour le jour » met en évidence sa façon d'envisager les enfants, leur éducation, leur vie commune, sa façon de mener sa vie professionnelle, etc.

Dans l'espace privé où nous entassons nos journées, nos sommeils et nos rêves, le projet n'est pas l'image bien cadrée d'une programmation. C'est davantage « une philosophie de la vie » mais que l'on s'est façonnée à petite main, que l'on a assimilé à petites gorgées, et qui permet de prendre, çà et là, un engagement plus précis. Même si à 40 ans changer de profession pour Nicole n'est pas un projet, une telle démarche ne relève pas d'une initiative du coup par coup mais davantage d'intentions, de désirs qui se concrétisent dans un acte, en l'occurrence changer de profession.

Il restait à se poser encore bien des questions sur « notre façon d'être au monde en donnant un sens à nos vies ». Ces femmes-là avec leur maturité et leurs petits enfants dans les bras ne nous convient-elles pas à réajuster notre regard sur nos sociétés ? Si nous insistons ainsi, c'est qu'évidemment nous estimons possible une évolution, nous pensons comme beaucoup actuellement, et depuis toujours, que dans l'espèce humaine se manifestent des phénomènes de complexification qui atteignent les individus et leurs groupements. C'est à partir de cette hypothèse que nous réécoutons ces cas de maternité tardives. On pourrait supposer que leur capacité de faire « signe » est due à un moment historique particulier. Ce moment, je le verrais lié à un *décalage* entre l'équipement du savoir et l'équipement social en général, entre l'équipement technologique et l'équipement émotionnel. Par exemple, maîtriser les naissances simplement pour ponctuer volontairement le calendrier au bénéfice d'un plus grand confort sans plus appartiendrait à la limite à un non-sens ; ce serait utiliser quelque chose de la manipulation du futur dans un futur vide. Mais concevoir volontairement pour donner un sens à sa vie et faciliter l'épanouissement et de l'enfant et des parents devient parfaitement cohérent.

Actuellement une incohérence traverse l'ensemble des systèmes sociaux, elle est tout à la fois source de désordre et source de réorganisation. La modernité, dans nos sociétés, atteint essentiellement l'armement, la consommation, mais elle n'atteint pas ou peu les relations entre les nations, entre les institutions et entre les personnes. Le secteur relationnel fonctionne approximativement sans modifications. Autrement dit, cette modernité, si spectaculaire, a justement transformé le spectacle du monde, ses possibilités de vie et encore bien plus ses possibilités de mort, mais elle n'a pas encore atteint les structures relationnelles. Certes depuis toujours des groupes, des institutions (communautés religieuses, kibboutz, communautés anarchistes, etc.) ont tenté d'aborder de tels changements, révolutions minuscules, mais il est rare que des individus dispersés, spontanément, à la limite sans mot d'ordre, vivent plus ou moins précisément leurs relations autrement. C'est sans doute à cause de ces démarches que je me suis attachée à ces mères tardives.

Si on peut utiliser le mot de projet collectif ou projet social, on constate que pour la majorité des femmes ce type de projet est de se marier, de devenir mère, en France essentiellement entre 22 et 27 ans, le reste, la profession et autre, c'est encore un halo qui fait peu d'ombre dans la production en général, production gérée par les hommes.

L'exploitation de leurs capacités forme une trace discrète qui s'inscrit dans le sillage de la vie de l'époux. Tout est presque prévu, déterminé, tout se fond dans un ensemble organisé suivant des règles *a priori* immuables. Et si certaines se mettaient à se connaître davantage, à repérer leurs possibilités, à pouvoir les accroître, à saisir des énergies en elles, et si, du coup, elles imaginaient « mener leur vie », où irions-nous ?... Nous ne pourrions plus autant prévoir ce qu'elles feraient et tout se teinterait d'improbable. Quelle société offrira une telle souplesse, affrontera tant de différences, quelle société imaginera pouvoir devenir si complexe qu'à tous les niveaux, il y ait place pour de la liberté réciproque ?...

De telles demandes font-elles partie des rêves, des utopies ou de projets politiques ? Quelles seraient les conditions d'un tel bouleversement ? Construire de « tels objets à venir », comme dit Sartre, qui nous permettent de nous dépasser, n'abondent-ils pas surtout là où le besoin d'ajustement précis de l'offre et de la demande est lui-même dépassé, où les besoins primaires (nourriture, logement, vêtements, etc.) sont suffisamment saturés pour laisser place à la foule des autres besoins, où les besoins de probabilité et de prévisibilité n'obligent pas à coller aux événements ? Le projet individuel, inscrit dans des projets collectifs, apparaît comme un « luxe », là où plusieurs possibles peuvent exister, là où les devenirs improbables peuvent être affrontés. En effet quittant l'avenir prévu, l'individu quitte les images qu'on avait mises à sa disposition et plus que ces images, il quitte l'ensemble des structures « préconstruites » pour son avenir. Il doit alors fabriquer son imaginaire. Le coût de la production de telles individualités est élevé, c'est bien pourquoi il semble que seules des sociétés complexes puissent offrir massivement la réalisation de ces autonomies, c'est également pourquoi nous avons parlé de « luxe ». Il n'y aurait plus la même absolue nécessité d'être au monde de telle ou telle façon, parce qu'on pourrait choisir « parmi plusieurs solutions, autrement dit on ne suivrait plus inéluctablement sa destinée ». Si Œdipe rencontrait son père, il ne le tuerait peut-être pas, et après avoir couché avec sa mère il conserverait éventuellement la vue. Rien ne serait joué, rien ne devrait être entièrement déterminé pour que puisse travailler la liberté, et cette incertitude ferait partie du « luxe ».

Au XVIIIe siècle, la reconnaissance de la liberté comme valeur intrinsèque de l'espèce humaine devient la pierre angulaire des changements des mentalités. Ne peut-on pas se demander si l'accès au « projet », au sens où nous l'avons défini, ne serait pas, à son tour, partie intégrante de cette pierre angulaire autour de laquelle s'organiseraient de nouvelles mentalités ?

Les rêves démocratiques qui hantent nos sociétés, nos aspirations à la participation, à l'autogestion, portent en eux une sorte de passage obligé : la possibilité pour tous de se reconnaître à travers la réalisation de leur projet pris dans un projet commun, ce sont d'immenses puzzles en mouvement, oh ! combien difficiles à imaginer... Et c'est en écoutant ces femmes exigeantes, responsables, entourées de leurs tout jeunes enfants, que personnellement j'ai eu envie de ces images...

TROISIÈME PARTIE

POUR UNE NOUVELLE RÉFLEXION SUR LES ÂGES DE LA VIE

par Annette Langevin

13

L'ENFERMEMENT DANS LE CRITÈRE D'ÂGE

Qu'est-ce donc qui rend la maternité différente et suspecte sous la désignation de « maternité tardive » ?

De quel ordre sont les dangers qui menacent cette « maternité à risques » ? Y a-t-il donc un âge particulier qui serait le plus favorable pour faire ses enfants et qui serait le même dans toute vie de femme ? Par rapport à quoi est-il encore trop tôt ou déjà trop tard pour être mère ?

Si l'on peut trouver écrit sur un dossier médical « primipare âgée » dès la 28e année d'âge de la future maman, c'est qu'un certain seuil a été dépassé, une frontière au-delà de laquelle la femme est en pays étranger et peut-être vaguement fautive, en état d'errance hors des sentiers battus. La maternité « tardive » est une maternité vagabonde qui prend son temps pour rejoindre le lot commun.

Pourquoi en l'état actuel des connaissances le critère d'âge s'est-il considérablement assoupli dans bien des domaines de la vie sociale alors qu'il reste si rigide lorsqu'il est question d'enfanter pour les femmes ?

Généralement lorsqu'il est fait appel au critère d'âge,

c'est pour proposer un cadre en dehors duquel point de salut. La mention d'un âge limite est rarement encourageante, c'est une barrière, un garde-fou qui stérilise la capacité de faire et le goût d'entreprendre. Ce moyen d'interdire emprisonne les plus faibles d'entre nous : les jeunes, les vieux, les femmes. « Passe encore de semer mais planter à cet âge ! » Le terme de « tardif » est lourd de menaces. Il s'y mêle un arrière-goût d'aventure illicite, le châtiment ne saurait être bien loin. Maternité « tardive », maternité « à risques » et même « à hauts risques ». Qui est menacé et qui menace qui ? Et pourquoi ?

Il existe un code juridique qui enclôt le champ de nos activités dans des limites d'âge, ce sont les « majorités ». Majorité civile, majorité électorale, majorité pénale, autant de feux verts ou rouges. Avant la majorité il n'est pas temps... Il n'y a pas un âge unique particulier, propre à désigner en une seule fois toutes les majorités. A partir de la treizième année d'âge on peut en compter plus de vingt. Cette limite d'âge qui se présente comme parfaitement indiscutable est pourtant fluctuante.

La majorité, c'est l'âge à partir duquel nous sommes légalement capables et responsables car, dit la loi, nous avons « la maturité d'esprit suffisante pour bien gérer nos affaires... », mais c'est à treize, seize ou dix-huit ans que nous franchissons des seuils de maturité et de capacité de résistance à l'immoralité des films « dangereux » pour la jeunesse. Les bornes des droits et des devoirs de la vie en société mentionnent un âge légal, mais le droit ou le devoir de maternité n'est inscrit nulle part. Il existe pourtant une règle de la « bonne conduite » des femmes qui correspond à la majorité maternelle. Avant il est trop tôt et après il est trop tard. Mais la majorité maternelle n'implique pas une « maturité d'esprit » suffisante. Ce n'est pas de l'âme dont il est d'abord question mais plus prosaïquement du corps de la femme et de son vieillissement vrai ou supposé.

C'est à partir d'une certaine limite d'âge que certaines activités deviennent licites et parfois obligatoires. A un certain âge nous agissons en adultes responsables. Par exemple, nous pouvons non seulement percevoir une rémunération mais en disposer librement. Il y a un âge prévu pour effectuer seul son premier dépôt à la Caisse d'Épargne, pour défendre sa condition de salarié, pour être militant syndical, pour être éligible, pour être élu délégué du personnel, pour cotiser à une caisse de retraite... à tel ou tel âge... c'est légal, c'est possible, c'est nécessaire.

Les âges du libre exercice de ces droits et de ces devoirs ne sont pas fixés une fois pour toutes. Dernièrement, c'est à la suite d'un débat à la Chambre que la majorité civile est passée de vingt et un à dix-huit ans. Il y a bien eu discussion mais les premiers intéressés, les jeunes de dix-huit ou de vingt et un ans n'y ont pas été associés. La « maturité d'esprit suffisante » n'a fait l'objet d'aucune étude de psychologie, la formule est restée floue et vague à souhait, car la fixation d'un âge est d'abord le reflet d'un rapport de force qui n'a pas un lien très étroit avec la psychologie ou la physiologie, quoi qu'on en dise. Et puis, que veut dire « bien gérer ses affaires » lorsqu'il s'agit de voter, de payer sa cotisation automobile ou d'entrer dans un cinéma porno ? Les différents âges prévus le sont par rapport à l'environnement culturel et politique. La majorité maternelle n'est pas prévue dans le code. Il n'est pas donné un âge particulier aux femmes pour effectuer leur « temps de maternité ». C'est un temps tacitement reconnu et qui prend force de loi, mais dont les limites changent au gré des pressions économiques, politiques et culturelles. C'est par un apprentissage progressif de « ce qui se fait » et de « ce qui ne se fait pas » que les femmes se fixent elles-même des repères ; il leur semble connaître ces règles intuitivement depuis toujours. C'est au nom de la morale, de la coutume, des façons de faire du plus grand nombre que les âges de la femme prennent plus ou moins de valeur. La médecine prend le relais pour préciser ce qui est précoce ou tardif dans la conduite de maternité et tout discours sur l'enfantement se doit de faire une large place à la physiologie et à l'obstétrique.

Par quels cheminements les femmes sont-elles conduites à se plier à la loi de l'enfermement du temps de la maternité dans une tranche d'âge relativement précoce lorsqu'on la replace dans l'ensemble du cycle de vie ? Quelle est la part des impératifs qui sont de l'ordre du biologique et quelle est la part des pressions sociales qui pèsent au nom du médical ?

14

LA NOTION DE TEMPS

Tout au long de notre vie, la perception que nous avons du monde évolue et cette vision nous transforme. Nous ne terminerons jamais tout à fait notre apprentissage de la distance, de l'espace, de la durée et de la valeur attachée au temps.

Pendant la petite enfance, ce qui nous entoure forme un tout cohérent et relativement immobile. Il ne paraît pas improbable que grand-père qui est aujourd'hui si vieux l'ait toujours été. Ce qui existait avant nous est flou, lointain, et complètement problématique ; les projets d'avenir ne dépassent pas une barrière proche. Nous nous initions peu à peu à un système de classement des années qui passent. Au début, ce qui l'emporte, c'est la constatation que notre petit corps se développe sans cesse : les marques se succèdent sur le petit coin de porte où maman inscrit centimètre par centimètre les étapes de notre croissance, tant et si bien que tous les espoirs sont permis : « Quand je serai grand... »

Au fur et à mesure que notre perception du temps s'ordonne, les adultes de notre entourage s'organisent en un cortège où les âges se suivent dans le bon ordre et dans ce cortège nous prenons tout naturellement notre place.

Le rituel des fêtes qui reviennent à dates régulières, les anniversaires avec les bougies soufflées joyeusement et dont le nombre augmente chaque année nous font apprécier que le train de la vie va cahin-caha dans une seule direction, celle du cumul des heures, des jours, des mois, des années.

Les adultes d'aujourd'hui se souviennent avec émotion du cadeau qui était offert traditionnellement vers la onzième année, il était d'usage de recevoir de la part des parrains une montre (plaquée or le plus souvent) le jour de la communion solennelle. L'enfant vivait alors un double rite, l'accueil dans la communauté religieuse se doublait du rappel des droits et des devoirs d'adulte qui seraient dorénavant strictement ponctués par la course des aiguilles. Quelle joie de posséder cet objet inséparable de tout poignet adulte ! Mais nous voilà pris au piège du temps industriel qui ne tolère ni avance ni retard et grignote sempiternellement des heures toutes semblables. Toutes les formes du temps qui nous sont enseignées laissent en nous des traces profondes : espace religieux intemporel, passé historique, généalogies familiales, emplois du temps quotidiens, cadences du travail... L'heure du cours, l'heure de la récréation, le temps de trajet, le pointage, les congés payés, temps du travail, temps de la maternité...

La plus perceptible contrainte du temps, celle à laquelle nul n'échappe, c'est la continuelle transformation de notre corps : c'est le devenir inéluctable pour chacun d'entre nous. Pas question de « rester petit » et de s'attarder dans l'enfance et pas question non plus de brûler les étapes et de devenir rapidement « fort comme mon papa ». Notre bonhomme de chemin se poursuit réglé par une horloge intérieure dont le rythme nous entraîne vers le meilleur et vers le pire.

Parmi les idées reçues généralement admises, la meilleure c'est le début de la belle maturité adulte, c'est « le plus beau moment de la vie », alors que le pire, c'est « des ans l'irréparable outrage ». Une fois passé l'apogée de toute vie humaine vient le deuxième versant et le triste déclin.

Chaque fête anniversaire entasse ainsi une année après l'autre nos âges dans une cassette, ce qui nous appauvrit à mesure que nous la remplissons. Passé l'âge adulte nous ne pouvons que déchoir car ce temps possède une valeur insurpassable. Dans la plupart des discours, les arguments qui prennent leur source dans le biologique sont censés être universels et par là même sans réplique. Pour les femmes, le biologique construit le temps du cycle de vie et attribue des valeurs inégales aux différents âges.

Sans notre carcasse, rien ne peut se vivre, trois faces d'une même réalité influent sur notre sentiment du temps, mais sont relativement indépendantes : la durée de survie attribuée à l'être humain, le vieillisement du corps, l'utilisation du cycle de vie. Chaque société produit son propre faisceau et chaque personne intériorise à sa façon la mesure du temps de la société dans laquelle elle vit, et elle l'utilise au mieux de ses possibilités.

Nous savons que, pour l'espèce humaine, la durée de vie des individus dépasse exceptionnellement la centaine, la limite extrême se situe entre cent dix et cent vingt ans. Toute l'avancée de la science bute et butera sans doute contre cette barrière. On ne cesse de s'étonner et de déplorer le vieillissement des populations les plus riches. « La France se ride », s'alarme le démographe A. Sauvy (lui-même infatigable et très productif octogénaire !). Mais qui peut arrêter le processus qui s'est mis en route ? De plus en plus d'hommes et de femmes se rapprochent de la seule limite indépassable, celle de l'espèce. Dans l'allongement de l'espérance de vie des Français, des esprits chagrins voient le naufrage de toute une civilisation et pourtant l'avenir c'est la conquête progressive d'une durée de vie élargie aux limites naturelles pour le plus grand nombre. C'est notre barbarie d'industrialisés qui fait qu'il y a tant et tant d'années de vie volées aux pauvres de ce monde par la faim, la maladie et la guerre. La « jeunesse » des populations est un legs du passé. Il va bien falloir affronter et résoudre les problèmes du temps élargi dans le cycle de la vie de l'homme du XXIe siècle. Commençons donc tout de suite.

Quel âge faut-il attribuer au corps ? Ce n'est pas si facile à préciser. A partir de quel moment avons-nous « passé la ligne » ? Le professeur Binet écrivait : « Le vieillissement ne porte pas simultanément sur tout l'organisme et identiquement sur tous les organes... » Alors que « mon tout » est embarqué dans une seule et même aventure, mon cœur ou mon foie peuvent se désolidariser de l'ensemble et prendre un petit coup de vieux chacun pour soi. Voilà qui complique la question du rythme individuel du poids des ans. Le critère d'âge, si l'on se contente d'accumuler les heures et les jours est bien peu satisfaisant, même si l'on s'en tient à la seule usure physique du corps. L'horloge interne du cycle physiologique est parfois capricieuse et il n'y a que le rythme de la montre plaquée-or soudée à notre poignet qui impose sa cadence mécanique. Pourtant, toutes les horloges égrènent le temps en accord avec le passage des saisons.

Le vieillissement dont nous savons si peu de chose, sinon qu'il est inévitable pour tous, est fait d'âges successifs qui sont bien implantés dans le milieu où nous vivons. Les hommes ne sont ni semblables ni égaux devant les étiquettes de la trentaine, de la quarantaine ou de la cinquantaine.

Il y a une nette différence entre ce qu'évoque un certain âge lorsqu'il est attribué à un homme ou à une femme, au point que l'on peut douter : est-ce vraiment de la même unité de mesure dont il est alors question ?

La classification en années toutes semblables ne pèse pas

du même poids sur les épaules de l'ouvrière à la chaîne et sur celle du P-D-G. de son entreprise. La durée moyenne de la vie n'est pas la même en Afrique et en France. Force nous est de constater qu'il y a des variations appréciables d'une population à l'autre. Selon que vous êtes « puissant ou misérable » la balance du temps ne penchera pas de la même façon et de sérieux coups de pouce sont donnés au sablier.

Un fil conducteur tend à relier entre elles deux propositions antagonistes et pourtant complémentaires du sentiment du temps. D'une part, le temps humain est régi d'abord par les fonctions physiologiques et, d'autre part, le temps repose sur l'organisation des activités de la vie en société. De toute façon, personne ne dispose à sa guise de son temps de vie.

Le temps de l'état de nature vient du fond des âges et s'y confond. Cette référence au sacré et à l'universel est destinée à situer le degré zéro de l'organisation du temps de vie en société. L'animalité l'emporte en fin de compte sur toute règle sociale. Une représentation mythique confond en une même image le cycle annuel des saisons et le cycle de la vie humaine. La Nature est le grand démiurge architecte de l'univers auquel les hommes sont aliénés.

A l'envers absolu de cette image se trouve la négation du support biologique des activités de l'homme. Le temps n'est plus qu'un découpage horaire dont la rationalité n'est justifiée que par les impératifs du monde industriel. Une succession rigide et automatique d'heures, de jours, de semaines, s'empare de la matière vivante et la soumet à son rythme. L'école, le bureau, l'usine exigent des emplois du temps établis avec précision. La planification du temps, c'est la recherche de la rentabilité. Tout retard sur l'horaire est synonyme de gâchis et toute avance est inquiétante et dangereuse. Dans ce cas c'est la cadence de la production qui donne sa forme et sa valeur au temps.

Tous les discours sur la femme oscillent entre ces deux images car la pierre angulaire de tout raisonnement à son propos reste la maternité : maternité de l'état de nature ou natalité planifiée dans le cadre de la société industrielle, femme proche de l'animalité ou femme rouage de la machine industrielle. L'emploi que les femmes voudraient faire de leur temps de vie est écartelé entre ces deux pôles.

Afin d'éclairer notre propos sur le temps de la maternité, puisons dans le Petit Conservatoire du Passé quelques archétypes. Les « saisons de la vie » ou les « degrés des âges » n'ont pas la prétention de refléter l'état des mœurs de l'époque, ou plutôt des époques successives. Les représentations allégoriques sont des « thèmes fixés » ainsi que les appellent les spécialistes en iconographie : thèmes figés dans le temps et thèmes fixés dans nos mémoires.

Les gravures des images d'Épinal, d'Épinal et de bien d'autres lieux, ont été très largement répandues en France durant plus de deux siècles. Ces feuilles volantes imprimées à partir de bois gravé étaient gaiement colorées. Elles avaient emprunté, au moins pour une part de la production, les thèmes éprouvés d'anciennes images religieuses, tout particulièrement pour ce qui avait trait aux mœurs et à la juste place assignée aux hommes et aux hommes dans la société. Il est amusant d'y voir combien les références aux origines de la destinée humaine sont tout à fait païennes mais revêtues du rituel catholique ajouté après coup.

Des sujets plus directement politiques que les âges de l'homme ou que les saisons de la vie ont été abordés par l'imagerie populaire du siècle dernier. C'est d'ailleurs la pression incessante de la censure napoléonienne qui va précipiter le déclin de l'image d'Épinal. Si Jean-Charles Pellerin « imprimeur-libraire » à Épinal s'était contenté de tailler ses bois d'imagerie sur « Les Quatre Saisons de l'homme », il n'aurait certes jamais été inquiété par les pouvoirs en place.

Les images d'Épinal ont été reproduites et mises en vente à des milliers d'exemplaires, jusqu'au milieu du XIXe siècle. Les dépositaires se chargeaient de les diffuser jusque dans les plus petits hameaux. Gardons-nous bien de penser que l'enseignement qui s'est transmis ainsi de génération en génération à travers l'imagerie populaire est totalement absent de nos attitudes modernes. L'homme rejette difficilement les défroques du passé et les expériences nouvelles s'impriment sur une conscience surchargée de cicatrices anciennes.

Pour ne citer qu'un premier exemple tiré des images d'Épinal, dans « les réformes du ménage » dit « le monde renversé », l'homme garde l'enfant à la maison tandis que la femme va à la chasse ou bien prêche à la place du curé. Aujourd'hui, la maternité est restée un argument pour réduire les activités des femmes en dehors du cercle de la famille : rapporter au foyer la provende quotidienne ou répandre la bonne parole, c'est d'abord l'affaire de l'homme. La femme reste la petite-chèvre-de-monsieur-Seguin attachée à son piquet familial, la longe est plus ou moins courte et voilà tout, il est toujours un peu question pour elle de rentrer à la maison... pour « garder l'enfant »[1].

L'imagerie populaire, cet ancêtre de nos médias, était destinée à être vendue pour quelques sous, il fallait plaire au plus grand nombre et répandre des idées distrayantes et parfaitement inoffensives, une philosophie du pauvre, puérile et honnête qui indiquait à chacun sans ambiguïté sa place, son rang, son rôle dans ce bas-monde. A chacun et surtout à chacune. En dehors du plaisir provoqué par leur aspect

1. En cinq ans, de mars 1972 à mars 1977, la proportion des hommes travaillant à temps partiel est passée de 1 % à 1,6 % et celle des femmes de 9,7 % à 13 %. 33 % des ouvrières interrompent leur activité salariée à l'occasion de la naissance de leur premier enfant, mais seulement 14 % des femmes qui occupent un poste de cadre ou exercent une profession libérale... Les différences ne s'atténuent que très lentement.

suranné, ce qui nous surprend dans ces « bandes dessinées » d'autrefois, c'est que leur message se retrouve encore si souvent à l'arrière-plan de discours contemporains qui évoquent le prix du temps et la valeur des âges de la femme.

La destinée de l'homme et celle de la femme telle que l'offre l'image d'Épinal ne sont pas bâties sur le même schéma, leur temps de vie ne prend pas ses sources aux mêmes origines.

Le temps de vie de la femme, c'est le temps cyclique des cultes solaires agraires : fertilité du sol, abondance des récoltes, enfantement, allaitement, maternage... participent des mêmes dons généreux de la nature, mais par contre ce sont des occupations bien situées dans la vie en société qui caractérisent la destinée de l'homme, cet animal dénaturé.

C'est ce que nous voyons bien dans la planche qui s'intitule « Les Quatre Saisons de l'homme » où, en quatre images, se rejoignent le cycle biologique humain et les saisons de l'année. Le printemps, c'est la belle saison des jeux et des tribulations insouciantes, c'est l'éveil de la nature et l'apprentissage de la vie. L'été, c'est la période consacrée au travail, aux semailles, c'est ce qui prépare l'automne de l'âge où tandis que l'homme récolte, les arbres portent leurs fruits et les femmes enfantent. Avec l'hiver vient la fin de la vie et tout s'éteint dans la froidure et la décrépitude, ainsi va le temps circulaire de l'éternel recommencement. C'est par son travail que l'homme contribue à la survie, c'est par l'enfantement que la femme perpétue le cycle naturel.

La peur ancestrale de la mauvaise récolte reste d'une cruelle actualité pour une grande partie du monde. La peur de « manquer » existe toujours et la faim est loin d'être rassasiée, ce qui contribue à conserver toute sa force à cette représentation écologique du temps où mauvaise récolte et stérilité des femmes sont également signe de malheur. La saison de la femme, c'est d'abord celle où elle enfante comme la terre nourricière prodigue ses bienfaits : « Le fruit de vos entrailles est béni. » Un temps pour naître, un temps pour semer, un temps pour engendrer et un temps pour dépérir et disparaître devant la montée de l'année nouvelle et des générations suivantes.

Dans une autre série de gravures, plusieurs thèmes également hérités de représentations antérieures se superposent, c'est « Le Jugement universel du genre humain » ; on y rappelle les sacrements qui accompagnent le cours de toute existence accomplie : le baptême, la confirmation et la communion, le mariage et l'extrême-onction, mais le titre de l'image c'est : « Les Degrés des âges », car une série de couples (ou parfois une série d'hommes ou de femmes) sont disposés sur les paliers d'une courbe qui figure le périple humain.

La représentation en forme de courbe est abondamment utilisée de nos jours pour diffuser à l'aide d'un graphisme simple des données statistiques qui sont le plus souvent extrêmement complexes. L'effet produit est toujours le même : la courbe a la particularité d'avantager visuellement ce qui se trouve placé au sommet. C'est au sommet de la courbe que se situe l'apothéose, dans les « degrés des âges », c'est le meilleur moment, pour les sondages c'est l'opinion du plus grand nombre, ce qui émerge de la majorité silencieuse, c'est ce qui ne sera jamais dépassé et ne peut que régresser et s'affaisser tout au long du deuxième versant. Après le sommet, il ne reste plus qu'à « descendre la pente ».

Atteindre allégrement le sommet de la courbe puis redescendre stoïquement les degrés des âges après un bref moment de plénitude, telle est bien la moralité de cette image populaire.

L'image d'Épinal des « Degrés des âges » ou « Le jugement universel du genre humain », découpe le temps de vie en tranches régulières qui de dix ans en dix ans vont de la naissance à la mort centenaire. Cette représentation est aussi peu réaliste que « Les Saisons de l'homme », même si le chiffre cent qui marque ici le terme coïncide avec la limite biologique de l'espèce. C'est un chiffre rond propre à situer le rêve de la durée idéale et puis c'est bien commode pour la symétrie du dessin. Rappelons-nous pourtant qu'au moment où le commerce des images d'Épinal fut le plus florissant, l'espérance de vie était à peine supérieure à la moitié de ce qu'elle est de nos jours, on était bien loin de la centaine.

La disposition en forme de courbe et les paliers successifs frappent l'imagination. La pente ascendante de la courbe, puis le court moment d'apogée et le versant déclinant figurent le parcours du cycle de vie et la valeur des différents moments vécus. Les paliers isolent entre elles des années ayant une signification particulière : c'est la « classe » d'âge du contingent, c'est la « classe » d'âge du démographe, c'est la « classe » de l'école et du lycée. Du seul fait de l'âge, il y a quelque chose en commun, on se retrouve avec son semblable puisqu'il a le même âge. Sur le même palier, on a les mêmes devoirs et les mêmes droits, les mêmes qualités. Chaque groupe de dix années d'âge porte un qualificatif, c'est l'âge de puérilité du début de la vie, puis l'âge de l'adolescence et de la jeunesse. Au sommet de la courbe, c'est l'âge viril et lorsque s'amorce le déclin c'est l'âge de discrétion et l'âge de maturité, l'âge déclinant, l'âge de décadence. Puis vient la caducité pour les octogénaires, la décrépitude pour les nonagénaires et l'âge d'imbécillité pour ceux qui atteignent cent ans.

L'affaiblissement qui vient avec le temps entraîne la perte de toutes les facultés. Le vieillard devient donc un imbécile, inapte physique et mental. Le train de la vie étroitement dépendant des rails du parcours physiologique va de dizaine en dizaine, gravit la montée qui mène à l'âge triomphant puis sur le deuxième versant précipite vers l'anéantissement.

A 10 ans âge avantageux il est gai ne pensant qu'aux jeux.
A 20 ans cherchant le bonheur il se marie selon son cœur.
Puis à 30 ans l'air triomphant joyeux admire femme et enfants.
A 40 ans a réussi il est fier content aussi.
A 50 ans c'est l'âge mûr pesant le passé le futur.
Dès 60 ans et sans attendre le chemin commence à descendre.
Sur sa canne à 70 ans s'appuie flânant par le pays.
A 80 ans cheveux blancs il se ressent du poids des ans.
A quatre-vingt-dix il décline l'édifice menace ruine.
Si cent ans passe dit sans émoi: «Mon Dieu, prenez pitié de moi».

L'usure du corps se confond avec l'inaptitude à l'exercice des facultés qui différencient l'homme de l'animal ou de la machine. Avoir à porter des lunettes car la vue baisse, c'est être soupçonné de ne plus être capable de comprendre ce qui est écrit à partir d'un certain âge. Cet amalgame fait toujours partie des idées reçues; sous une forme pateline et bienveillante, nous la rencontrons tous les jours. Caducité, décrépitude, imbécillité... voilà le lot du troisième âge humain. Chaque acte quotidien est interprété et jugé: louper la marche ou casser un verre à vingt ans est un signe d'impatience juvénile et c'est votre corps vieillissant qui visiblement vous trahit à cinquante ans. Avec la montée industrielle du XIXe siècle prend fin le mythe de la vieillesse, attribut de valeur intellectuelle et morale. Place à la rentabilité de la production du jeune adulte!

De génération en génération, l'allégorie de la courbe du périple humain est retransmise immuable. A chaque tranche de vie correspond un rôle et un seul: pas question de freiner ou de remonter le cours du temps. Sur certaines planches d'images d'Épinal, c'est un couple qui gravit les degrés des âges, les péripéties de la vie de famille indiquent les moment clefs de l'écoulement du temps, mais on peut aussi voir un homme ou une femme gravir isolément les paliers du temps de vie.

Future mère, mère puis grand-mère. La faculté de donner la vie, voilà le point d'ancrage de la destinée féminine dans l'imagerie populaire :

A dix ans fillette innocente la vie pour elle est ravissante.
A vingt ans doux et heureux son cœur candide s'ouvre à l'amour.
A trente ans la maternité lui donne la félicité.
A quarante ans ses grands enfants lui remémorent ses jeunes ans.
A cinquante ans elle s'arrête au petit-fils elle fait fête.
A soixante ans elle descend vers le tombeau tout doucement.
Souriante à soixante-dix à ses arrière-petits-fils.
A quatre-vingts faible aujourd'hui un petit-fils lui sert d'appui.
A quatre-vingt-dix sans courage elle pense au dernier voyage.
Et si cent ans viennent encore elle prie Dieu elle l'implore.

Comme dans le parcours du jeu de l'oie, à chaque case correspond une attribution et une seule. Pour la femme, c'est autour de la période de sa vie où elle va être mère que s'articulent toutes les autres. La maternité à venir, présente ou passée restreint à chaque étape le champ du possible. Passant de l'âge ingrat (elle n'est pas encore ravissante) à la fleur de l'âge où son cœur candide s'ouvre à l'amour puis où par la maternité elle atteint la félicité, elle sombre dans l'âge critique (ou retour d'âge) avant que d'être hors d'âge. Le pouvoir de plaire et d'enfanter est au sommet de la courbe de la vie de la femme. Avant, il est trop tôt et surtout, après, il est trop tard. R. Queneau ne nous dit pas autre chose : « Si tu crois petite qu'çà va durer toujours... ce que tu te goures, fillette, fillette. » Le temps valorisé par le charme et la fécondité est chichement mesuré. « Vite, vite, fillette, fillette, avant... la pesante graisse, la ride véloce, le muscle avachi... » qui vous guettent au détour de l'âge déclinant.

Dans les milieux hospitaliers parisiens les plus modernes, c'est à partir de 28 ans que les primipares sont considérées comme « âgées », elles ont droit à ce que leur dossier comporte systématiquement le « rond rouge » qui stigmatise la grossesse dite « à risques ». Le temps de la maternité, c'est le temps figé dans la décennie du « cœur candide » entre vingt et trente ans. Le laps de temps est des plus étroits, mais qui oserait mettre en doute la mesure de l'usure de la machine à fabriquer les bébés !

Attardons-nous encore un moment sur les chromos qui illustrent ce qu'il est convenu d'appeler un « cliché », une représentation si banale et si profondément enfouie dans le fatras des idées qui nous sont proposées et que nous nous faisons sur nous-mêmes.

Sur un dernier exemple des gravures ayant pour thème les âges de la vie ; douze ans, que voyons-nous ? Une pieuse adolescente agenouillée sur son prie-Dieu, future éducatrice elle sera chargée de transmettre les valeurs morales et d'inculquer les rites religieux, douze ans, âge de piété pour la fillette ravissante (*voir plus haut*).

Quinze ans, que nous propose l'image ? Quinze ans, c'est l'année des succès scolaires, les succès scolaires du garçon, c'est lui qui est couronné de lauriers ployant sous une pile de « prix » reliés en rouge et à tranche dorée, instruit et discipliné il s'incline, partageant le savoir avec ses maîtres.

Dix-huit ans, les rencontres préparent la formation de futurs couples, garçons et filles virevoltent dans une salle de bal sous l'œil attentif des parents. C'est le printemps des âges, le cœur candide des filles s'ouvre à l'amour...

Vingt ans, âge de l'amitié, c'est d'amitié virile qu'il s'agit. Ce sont les garçons qui vont en bandes joyeuses profiter de la fin de leur liberté adolescente au moment où les filles sont occupées dans la maison aux travaux d'aiguille et préparent le trousseau. C'est à vingt-cinq ans que nous voyons réapparaître la jeune fille. Blanche mariée inclinée devant le prêtre, c'est elle que nous retrouvons à l'image des trente-cinq ans, entourée d'enfants, dévouée, protectrice, raisonnable... lorsque la maternité lui a donné « la félicité »...

Le double mythique de la mariée innocente, candide et pieuse, future mère dévouée, c'est la jeune fille méritante des prix de vertu remis à l'honneur sous l'Empire. On écrit dans *Le Monde illustré* du 12 juin 1802 : « ... Nous voilà revenus au bon vieux temps, au temps des patriarches, à l'âge d'or... » Un journaliste lyrique annonce que « la blanche étoile a reparu à l'horizon serein », à propos de l'élection de la Rosière de Nanterre.

La couronne de roses blanches qui fait partie du cérémonial est attribuée cette année-là à une jeune couturière de dix-huit ans qui « soigne avec tendresse ses quatre petits frères et sœurs ». Mimant en une maternité puérile et vierge la femme idéale de l'Age d'or, celle du bon vieux temps.

C'est dans l'église que la cérémonie publique se déroule pour l'édification de tous et tout particulièrement pour l'enseignement des jeunes filles de la commune qui accompagnent l'élue également vêtues de blanc et couronnées de roses.

Le Monde illustré note qu'« il est consolant de remarquer qu'au milieu du naufrage de tant d'institutions, la vertu a conservé sa couronne, que la fête reste entourée du même prestige et que le même cérémonial y préside toujours ». L'ordre règne, la blanche étoile a reparu à l'horizon serein. Nous sommes en 1802 à l'orée d'un siècle féroce qui aura bien des occasions de perdre sa sérénité.

Quelques bijoux et une petite somme d'argent seront remis à la jeune couturière par une dame de charité déléguée par la bourgeoisie locale afin d'aider à la constitution d'une modeste dot. L'élue a été choisie dans une famille « humble, mais des plus honorables » puisqu'un tel prix de vertu avait déjà été attribué à une trisaïeule. L'asservissement des corps et des âmes est ici encore héréditaire, quoiqu'il y ait à déplorer quelques remous... « Les meilleures fondations ne sont pas à l'abri des quolibets, mais l'Institution est de force à se défendre toute seule. » En effet, l'Institution se défend bien et fort longtemps, elle s'adapte et change d'habit au besoin, la soutane noire se fait blouse blanche, le confessionnal se fait cabinet de consultation. Ce qui est recommandé ici pour le salut de l'âme est prescrit là pour l'épanouissement du corps.

Ayons une pensée compatissante pour la Rosière de Nanterre du 12 juin 1802, jeune objet docile, vivant symbole d'un rêve fou, celui du « Temps des Patriarches ».

15

NOUVEAUX TEMPS, NOUVELLES DONNÉES

En 1925, un pédiatre des plus célèbres, le professeur A. Pinard, écrivait dans «*Le Matin*» un article qui faisait partie d'une série sous le titre: «Honorons et protégeons toutes les mères» : «Une femme ne se porte bien que si elle est mère et autant que possible avant l'âge de vingt-cinq ans...»

Vingt-cinq ans est resté une borne rituelle, une de ces majorités occultes qui n'est inscrite dans aucun texte de loi mais qui pourtant reste gravée dans toutes les consciences; nous la retrouverons à tous les détours des enquêtes d'opinion sur les projets d'avenir des jeunes filles.

Sainte Catherine à l'origine était la patronne de la fertilité féminine, la signification symbolique du culte de la sainte s'est modifiée avec le temps. Catherine est devenue la patronne des célibataires, des laissées pour compte, et enfin la patronne des «petites mains» de la haute couture. Ce sont les couturières qui ont perpétué le bonnet blanc aux rubans jaune et vert qui devait être porté par la «vieille fille», la célibataire qui fêtait son vingt-cinquième anniversaire au cours de l'année. Il faut chercher dans les greniers ou chez les brocanteurs pour retrouver les cartes postales jaunies perfidement destinées à être envoyées aux « Catherinettes ». Un minuscule bonnet à rubans y est collé accompagné du rappel :

Vingt ans attente
Vingt-cinq ans impatience
Trente ans désespoir.

La souffrance, c'est de ne pas être mère, « si possible avant l'âge de vingt-cinq ans ». Au bal des Catherinettes, la « vieille » fille rejoint la primipare « âgée ».

Comment résister à la nature, à sa nature de femme, il faut laisser parler l'instinct féminin, un instinct qui n'a pas d'équivalent au masculin : l'instinct maternel. « ... C'est une tendance primordiale qui crée chez toute femme normale un désir de maternité et qui une fois ce désir satisfait incite la femme à veiller à la protection physique et morale des enfants. » Nous voici une fois encore en pleine image d'Épinal, mais ce « Thème fixé » vient du dictionnaire qui entérine l'état des mœurs, c'est le Larousse du XXe siècle, édition 1973, qui propose cette définition de la normalité de la femme ; elle doit être mère et veillera à la protection physique et morale des enfants. Le dictionnaire ne précise pas si cette tendance primordiale doit être satisfaite avant l'âge de vingt-cinq ans ainsi que le fait le professeur Pinard.

Jeunes filles si vous ne voulez pas souffrir, ni dans votre corps ni dans votre âme, méfiez-vous du temps qui passe, fillettes, fillettes... il est parcimonieusement mesuré :

Vingt ans attente
Vingt-cinq ans impatience
Trente ans désespoir.

Abandonnons pour le moment la courbe et sa courte apothéose pour nous emparer de la moyenne des démographes.

La moyenne est constamment utilisée elle aussi pour diffuser des informations. Comme la courbe, mais sous une forme plus abstraite, elle met dans le même pot la carotte, le navet et le chou et passe le tout à la moulinette ; méfions-nous de ce potage lorsque sa composition est louche. Lorsque le chiffre est simplifié, il est aisément transmis, il n'en fait que plus de ravages. Une moyenne bien assenée fixe l'attention mais distrait le regard. Elle vous laisse bouche close sans vous convaincre pour autant. Elle calme vos inquiétudes et votre appétit d'en savoir plus par un subtil pouvoir soporifique.

Au début du siècle dernier, lorsque vivait encore la jolie petite Rosière de la ville de Nanterre, la durée d'existence la plus longue à laquelle chacun pouvait rêver était sensiblement la même que celle d'aujourd'hui, guère plus de cent ans ; mais la moyenne de survie de l'époque représentait à peine plus de la moitié de ce que nous connaissons en France en 1982 (ces taux de mortalité précoce sont ceux que subissent encore bien des populations desheritées du xxe siècle finissant).

L'espérance de vie n'a cessé de s'élever lentement et régulièrement lorsque l'on considère de longues périodes ; peu à peu, nous nous rapprochons collectivement de la durée spécifique de la vie des humains. Malgré quelques oscillations mémorables : la guerre de 1870, la guerre de 1914, la guerre de 1940, entre autres phénomènes... notre avenir va dans un seul sens : un temps de vie dilaté par rapport aux générations du passé, un temps de vie récupéré par rapport à la limite biologique.

La moyenne d'espérance de vie était de 41 ans vers 1820, de 42,7 ans en 1860 et pour la génération de nos mères vers 1930 la moyenne atteint 59 ans. A partir de cette époque, le progrès du temps de vie récupéré est constant, il ne cesse de s'accélérer puisque au cours des dix dernières années la moyenne a « gagné » deux ans, nous dépassons aujourd'hui le chiffre de 78 ans en France. (Le Japon peut s'enorgueillir d'un pourcentage de centenaires dans sa population jamais constaté jusqu'à ce jour nulle part au monde.)

Nous connaissons une aventure collective tout à fait nouvelle ; il y eut de superbes vieillards en tout temps, mais cette longévité était exceptionnelle ; elle devient une « espérance » pour le plus grand nombre dans les sociétés les plus riches. C'est en cela que les calculs sur le passé sont légèrement suspects. Au XVIIIe siècle, la mort intervenait de façon bien désordonnée, comment faire confiance en une moyenne calculée sur tant d'incohérence ? La population comptait peu de vieillards, mais il s'en trouvait néanmoins, les veufs et les veuves étaient légion car les mariages étaient souvent interrompus par la mort de l'un des conjoints, beaucoup d'enfants mouraient en bas âge, la mort n'attendait pas sagement son heure, elle était omniprésente et pouvait frapper à tout moment, emportant aussi bien une partie de la famille à l'occasion d'une maladie contagieuse que la moitié du village lors d'une année de mauvaise récolte et de disette. Épidémies, famines et guerres, tels étaient les fléaux les plus redoutés du monde paysan.

Au XVIIIe siècle, la mort banale, chronique, obsédante surgissait de-ci de-là, attaquant d'abord les plus faibles, les enfants. Sur cent nouveau-nés, un tiers ne parvenait pas à leur premier anniversaire et près d'un autre tiers n'atteignait pas vingt ans. Un siècle plus tard, c'est encore un enfant sur deux qui n'atteint pas l'âge adulte. La mort des femmes en couches reste encore longtemps une effrayante menace. (C'est au début du XIXe siècle que l'espérance de vie des femmes commence à dépasser l'espérance de vie des hommes.)

La mort du père ou de la mère rompait le mariage fréquemment à moins de douze ans de vie commune. Dans notre littérature, les contes et les récits abondent en exemples d'orphelins maltraités par la marâtre. Pressés par la nécessité de cultiver la terre et de faire face aux tâches quotidienne, veufs et veuves se remariaient souvent très vite, rassemblant autour d'eux les enfants du « premier lit » de l'un ou de l'autre. A l'église du village glas et carillons se succédaient. La vie de famille n'avait pas la même durée, sinon la même intensité, que ce que nous vivons à présent.

C'est le progrès sous toutes ses formes qui se reflète dans l'allongement du cycle de vie. L'amélioration de la rentabilité des sols, la multiplication des réseaux de distribution (routes et moyens de transport), l'affinement des moyens de conservation des produits de la terre, le recul de l'analphabétisme, les progrès de l'hygiène, les découvertes scientifiques... tout concourt à préserver la vie humaine à toutes les étapes.

Aujourd'hui, nous nous sommes faits à l'idée que les « degrés des âges » ont toutes chances d'être gravis jusqu'à un âge avancé pour une majorité d'entre nous.

La perception que nous avons de notre corps et de son devenir prend elle aussi une tout autre dimension ; le véritable « vieillissement », c'est d'aborder au plus près aux rivages de la limite biologique et la merveilleuse aventure collective, c'est la probabilité de s'en rapprocher pour le plus grand nombre.

Rien ne peut s'opposer véritablement à ce qui caractérise profondément l'activité de l'homme : domestiquer la nature. Conquérir les années perdues du cycle de la vie humaine, tel est l'avenir, inéluctablement. Les projets individuels, les espérances collectives, la planification de toutes les activités s'en trouveront modifiés, tout le cadre de vie doit suivre. Sous la poussée inévitable des faits, les adaptations sont indispensables, même si elles sont pénibles. Il nous faut innover dans tous les domaines pour faire face à cette évolution, chacun pour soi et tous ensemble. Il ne suffit pas de jeter un cri d'angoisse : « ... Mais qui va payer les retraites ? »

Anticiper sur les emplois du temps de demain, c'est prendre en compte cette probabilité qui ne cesse de s'affirmer : l'allongement de la durée moyenne de la vie. Mis à part quelques esprits chagrins, qui généralement ne se comptent pas dans le lot et déplorent le vieillissement général de la population, qui se plaindrait de ce merveilleux cadeau du progrès ? Il suffit de s'en servir pour le mieux.

De nouvelles attitudes devant la vie suivront les considérations sociales ou économiques. Pour ne prendre qu'un seul exemple d'une brûlante actualité : l'autonomie économique des femmes est à envisager dans des termes qui prennent en compte leur espérance de vie actuelle quand on sait que les épouses sont susceptibles de survivre à leur mari dans des proportions qui sont loin d'être négligeables.

On ne constate qu'une année d'écart entre l'espérance de vie des femmes et celle des hommes en 1820 ; cet écart est devenu de plus de huit années en 1980. En supposant que c'est d'abord le mode de vie qui crée ce fossé grandissant entre l'un et l'autre sexe on peut émettre l'hypothèse que ce phénomène peut s'atténuer ou même se modifier complètement. Il n'en reste pas moins qu'en 1975 on dénombrait en France plus de trois millions de veuves ; pour la plupart d'entre elles, les conditions économiques étaient des plus préoccupantes car elles étaient entièrement dépendantes des ressources procurées par le salariat du mari.

La femme encore plus que l'homme a bénéficié de la conquête de la longévité. Une chanson populaire du Berry harmonisée par G. Mirat en 1936 nous décrit les âges de la femme de la radieuse adolescente à la repoussante veuve.

Les fillettes de Libourne, de plus belles n'en connais,
A quinze ans elles sont sages comme Vierge sur l'autel.
A seize ans leur prend la rage, elles ne pensent qu'à danser.
A vingt ans la rage double, vite il faut les marier.
A trente ans soie et dentelles, le mari n'a qu'à payer.
A quarante elles sont mûres, mais jeunes veulent rester.
A cinquante le nez rouge! serait-ce de trop pinter?
A soixante elles tironnent, lors le mari peut souffler.
A septante le chef branle, le nez se met à couler.
A nonante elles s'éteignent, s'en vont jalonquer les pots.
L'homme enfin serait tranquille s'il n'était déjà défunt.

De nos jours, le temps dilaté, c'est aussi l'allongement possible du temps de vie à deux. L'ombre du divorce a remplacé la menace de la mort sur la durée du couple : noces de papier, noces d'argent, noces d'or, noces de platine au soixante-cinquième anniversaire du mariage peuvent se succéder... Quel métal précieux faudrait-il découvrir pour fêter dignement l'anniversaire des épousailles des Philémon et Baucis de l'an deux mille ?

Le calcul de la moyenne est une opération arithmétique simple et cette méthode est appliquée à toutes les données de démographie de manière constante, mais gardons en mémoire qu'au fil du temps cette moyenne a été construite à partir d'éléments chiffrés de sociétés qui ne cessent de se transformer. Le cadre économique, les techniques et les mentalités évoluent sans cesse.

Jusqu'à la mise au point des sulfamides et des antibiotiques, pour chaque mère la mort de l'enfant était une éventualité qui pouvait être présente à la conscience dès le moindre signe de malaise. De nos jours, une sélection s'opère très vite entre tous les signes de maladies ; la plupart du temps, l'idée que l'affection est porteuse de mort possible ne nous effleure même pas. En revanche, la montée de la peur de la mort collective ne cesse de gagner et de s'insinuer dans les mentalités contemporaines.

La confrontation des moyennes de démographie fait apparaître un aspect paradoxal du développement de la France. En cent cinquante ans, l'espérance de vie a doublé grâce à la survie à tous les âges, le nombre moyen d'enfants par femme n'a cessé de diminuer et la population totale de la France croît régulièrement. C'est ainsi que « la France se ride ».

Pour la génération des femmes nées en France vers 1825, on dénombre en moyenne 3,4 enfants vivants (ou plus exactement survivants pour cette époque). La même opération pour les générations de femmes nées après la guerre de 1870 nous donne une moyenne de 2,7 enfants. Nos grand-mères nées vers 1900 fournissent la plus faible moyenne de fécondité, à peine deux enfants vivants par femme. C'est d'ailleurs autour de ce chiffre de deux que ladite moyenne va s'installer assez durablement, en s'affaiblissant un peu avec des hauts et des bas selon les années. Ce que l'on retrouve à la rubrique « baisse de la natalité » et dans les titres alarmistes des journaux à grand tirage.

Pendant longtemps, c'est la mort qui s'est chargée d'éclaircir les rangs au hasard et dans le désordre. Comment bâtir un projet cohérent dans ces conditions ? Il n'était pas raisonnable de limiter la descendance à un ou deux enfants dont l'existence était si menacée. On voulait de toutes ses forces croire en la miséricorde d'un destin secourable qui vous épargnerait, mais il était bien difficile de fermer les yeux et de nier les peines quotidiennes frappant alentour. La crainte était toujours présente, et c'est elle d'abord qui dictait la meilleure conduite à tenir. Le projet individuel étant précaire, c'est le groupe qui était investi des espoirs. C'est plutôt le patrimoine qui, transmis de père en fils, assurait la pérennité de la famille, ainsi que le nom réparti sur un grand nombre de têtes. A cette époque, miser sur une personne particulière était un pari fragile et déraisonnable ; quel devin pouvait prédire que l'enfant survivrait à la mère ou que la mère survivrait à l'enfant ? Quel couple pouvait préparer ses vieux jours avec la certitude que les deux conjoints survivraient côte à côte ? La vie était bien trop incertaine.

Jusqu'aux environs de la guerre de 1870, la moyenne de survie des femmes atteignait tout juste l'âge moyen de la ménopause (âge calculé[1] pour la durée de vie fertile des femmes de l'époque). En d'autres termes, les femmes mouraient avant de voir la fin de leurs règles. La médecine contemporaine découvre les problèmes de la préménopause, mais c'est de l'après-ménopause (soit près de trente ans) dont les femmes ont à se préoccuper aujourd'hui.

Parallèlement à l'allongement de l'espérance de vie, la faculté de faire des projets n'a cessé de croître. La planification des naissances s'est greffée insensiblement sur l'augmentation de la probabilité de survie. Tous les projets dont dépend la venue au monde des enfants prennent enfin pied sur un terrain plus solide. Il reste encore à faire pour une meilleure protection de la mère et de l'enfant nouveau-né, mais nous avons progressé très rapidement dans ce domaine. La planification préalable de la taille de la famille par les mères et par les couples ne correspond absolument pas à un refus de l'enfant. Planifier, c'est au contraire prévoir une place dans une organisation générale du temps de vie où l'enfant va trouver sa place et où il sera le bienvenu.

1. Plus de la moitié des enfants survivants voyaient mourir leur mère avant d'atteindre leur vingtième année.

16

CYCLE DE VIE ET FERTILITÉ

Il nous a fallu aller dans plusieurs directions pour éclairer notre lanterne sur « le temps de la maternité », vers le généticien, vers le médecin et vers le démographe pour élucider au préalable les questions que posent la durée totale de la fertilité dans la vie de la femme et l'intensité de cette période de vie fertile. Auprès du démographe, nous avons cherché à savoir quelle est la proportion de temps qui est effectivement utilisée par les femmes et comment cette proportion de temps évolue[1].

Pendant notre longue quête sur la maternité et l'âge des femmes, nous avons rencontré dans tous les discours le fantasme du temps cyclique, le demi-mensonge de la courbe et de son apogée, la demi-vérité de la moyenne et de son amalgame et l'illusion péremptoire du pourcentage assené comme vérité première. Comme l'arbre cache la forêt et prétend la représenter à lui seul, le détail choisi, le raccourci saisissant, l'exemple trié à dessein ont voilé ou atténué la complexité des problèmes abordés. Le chiffre en particulier

1. La fertilité est l'aptitude à procréer et la fécondité le fait d'avoir procréé ; quant à la natalité, c'est une mesure annuelle du nombre d'enfants venus au monde.

rassasie la curiosité sans vraiment la nourrir et dissimule souvent vaille que vaille les lacunes provisoires d'un savoir toujours en marche.

Les données démographiques pèsent d'un poids subtil sur les connaissances dans le domaine de la génétique et plus encore dans le domaine médical. La statistique démographique tient rigoureusement à jour le nombre des enfants nés de mères ayant en principe tous les âges possibles de la vie fertile, mais en fait il est frappant de constater que dès la 28ᵉ année d'âge des mères la courbe de natalité commence à s'affaisser et il est bien délicat de faire la part de ce qui ressort du choix des femmes et de ce qui ressort de bien des pressions qui proviennent de l'entourage pour hâter la prise de décision avant 28 ans, ou pour décourager le désir d'enfant passée la trentaine.

Il y a de multiples explications possibles à l'affaissement de la courbe de la fécondité des femmes passée la 28ᵉ année[1]. Au cours des enquêtes d'opinion, les femmes disent souvent qu'elles ont choisi d'avoir leurs enfants précocement, malgré tous les inconvénients que cela suppose, pour terminer au plus vite leur « temps de maternage » auprès des tout-petits durant une période de mobilisation extrême de toutes leurs forces. Pendant un temps comparable au service militaire et auquel on n'envisage pas de se soustraire : avoir tous ses enfants sur moins de dix ans de vie et être ensuite libérée pour avoir des occupations « bien à

1. On peut lire dans la revue *Population* de l'Institut national d'études démographiques une estimation de la fécondité des femmes pour la période comprise entre 1975 et 1980 ; pour un ensemble de mille femmes l'indice était de 1,820, soit une moyenne de 1,82 enfants par femme. Voici quel était l'indice par regroupement des âges de 5 ans en 5 ans (en pourcentage) :

15/19	*20/24*	*25/29*	*30/34*	*35/39*	*40/44*	*45/49*
115 6,3	610 33,5	625 34,3	315 17,3	120 6,6	35 2	0

soi». A l'inverse, bien des femmes sont effrayées par les menaces qui semblent peser sur l'enfant lorsque la mère est «âgée», lorsqu'elle entre dans cette zone dangereuse de l'âge à «risque» et même à «haut risque» en attendant que la médecine trouve un qualificatif encore plus anxiogène et plus dissuasif, un loup-garou aux dents encore plus acérées.

Étant donné le nombre moyen d'enfants par femme, on peut aussi tout simplement faire le constat que les femmes cessent de faire des enfants à partir du moment où elles ont atteint leur idéal, réalisé leur comptant d'enfant... mission accomplie! (Les trois quarts des femmes n'ont plus d'enfant après trente ans.)

Quoi qu'il en soit, le nombre d'enfants et le moment où ils surviennent dans la vie des femmes ne correspondent en rien à ce que la nature permet. Les enfants viennent au monde après d'âpres tractations entre les intérêts particuliers et les besoins collectifs, ou encore entre les besoins particuliers et les intérêts collectifs. Les termes du contrat sur la production d'enfants sont loin d'être arrêtés une fois pour toutes, bien au contraire la négociation est constamment remise en cause. Ce qui nourrit les statistiques de natalité n'est que le résultat tangible de ces stratégies contradictoires. Le démographe penché sur les colonnes de chiffres, sur les pourcentages et les courbes ne peut que relater les faits et comparer avec le passé; lorsqu'il se risque à prédire le futur, ce n'est qu'en fonction du passé en suivant l'envol ou le déclin de la courbe. Faute de pouvoir improviser sur ce qui sera demain il est conservateur par essence: «Je constate une baisse de la natalité qui... si elle se poursuit dans les mêmes conditions demain ne peut que... Dans un temps donné assez court.» Les mêmes conditions peuvent parfois perdurer pendant un moment, mais il en va de la démographie comme de la météorologie, les estimations à long terme sont toujours aventureuses. Hélas, c'est souvent en se dissimulant derrière le patient travail du démographe que les discours dérapent dans des envolées alarmistes sur la production d'enfants.

La vérité souffre beaucoup, pâlit, se flétrit, perd de sa substance lorsqu'elle va trop droit au but et emprunte le plus court chemin. Elle a besoin pour se révéler dans toute sa beauté complexe de passer par le chemin des écoliers, de muser en route, d'emprunter de-ci de-là tous les tours et les détours. Les généralisations approximatives, les conclusions hâtives lui sont fatales, ce sont les armes sournoises d'intérêts qui n'ont pas avantage à montrer le bout de l'oreille : ferme les yeux et ouvre la bouche, avale !

A partir de la 28e année, les maternités se font de plus en plus rares, la courbe des conceptions s'affaisse très sensiblement, mais de là à conclure que la fertilité des femmes subit le même sort statistique il y a de la marge. Si la durée de la vie fertile des femmes est inemployée sur plus des deux tiers, c'est sans doute plus un phénomène de société qu'une loi de la nature. Passé un certain âge les femmes procréent de moins en moins. Peut-on en conclure qu'elles deviennent stériles ? Si votre fille ne parle pas c'est donc qu'elle est muette !

Dans la vie des femmes, la période consacrée aux maternités n'a cessé de diminuer, elle s'est réduite de moitié depuis le début du siècle. Les femmes qui s'engagent dans une maternité aux âges de la fin de la vie fertile deviennent rarissimes (du moins en France, contrairement à ce qui se passe depuis quelques années aux États-Unis). En France, de 1964 à 1977, le taux de fécondité des femmes de 35 à 39 ans a baissé de 66 % et celui des femmes de 40 ans et plus a diminué de 65 %. C'est dire que ce taux en 1977 représente le tiers de ce qu'il était vingt ans auparavant. Si votre fille devient ainsi progressivement muette, est-ce qu'elle ne veut ou ne peut plus parler ? Peut-on conclure de la lecture des évolutions démographiques que les femmes ont une capacité fertile plus faible et plus réduite de décennie en décennie ? Certes non. Mais, par contre, il faut bien admettre que l'ensemble de la durée de la vie fertile des femmes n'est plus utilisée depuis belle lurette (cela en supposant que dans un lieu particulier et sous des cieux inconnus de nous elle l'ait jamais été. Chaque époque enferme le temps fertile des femmes à sa façon).

Nous avons vu que, en France, la prolongation de la durée moyenne de vie a croisé la réduction du nombre moyen d'enfants par femme. Vie prolongée, maternité réduite, chacune de ces attitudes devant la vie se tournant carrément le dos. Plus les femmes ont bénéficié de l'espérance de vivre tout l'ensemble de leur vie fertile, moins elles ont conçu d'enfants et plus elles ont concentré le temps de maternité, et elles ont constitué leur descendance sur une période de plus en plus courte. Les femmes de 1900 avaient leurs enfants au cours de plus de vingt ans de leur vie et nos contemporaines sur environ dix ans. Mais pourquoi donc choisir le premier tiers du temps possible ? Vingt-cinq ans impatience, trente ans désespoir ! Vite, Vite, pendant que la femme est « jeune ».

Au cours de notre étude, nous avons cherché à bien faire apparaître les seuils d'âge qui sont attribués à la vie fertile de la femme, ce qui rejoint plus ou moins le problème plus général du vieillissement. En quoi la primipare de 28 ans est-elle âgée ? Est-ce en référence à l'état de ses organes ? Ça n'est pas si simple ! Le vieillissement humain ne peut pas se comparer à l'usure de la machine ; dans le déroulement du temps physiologique de l'homme il y a toujours de petits écarts, des pas de fantaisie qui font que chaque histoire particulière est inédite. Le biologiste François Jacob dans son dernier livre[1] souligne une fois encore que si le déclin phy-

1. François Jacob, *Le Jeu des possibles*, éd. Arthème Fayard, 1980.

sique de l'homme est inévitable, il n'a rien de mécanique et est assez difficile à mesurer.

La chronologie humaine entre malaisément dans le cadre des 365 jours. Pourtant nous avons très souvent rencontré une attitude dogmatique et rigide lorsqu'il était question du temps de la reproduction pour les femmes.

Il y a des limites naturelles au temps de la gestation, pour les femmes ainsi que pour toutes les espèces animales, mais les médecins savent bien qu'il est banalement entendu que la gestation est de neuf mois, mais qu'en fait ces neuf mois sont très théoriques puisqu'une grossesse considérée comme parfaitement normale peut occuper un espace de temps qui va de 260 à 290 jours. Cette toute première mesure du temps pour enfanter n'est pas bien précise et il en va de même à toutes les étapes du cycle de la vie, quand bien même on se limiterait strictement à la prise en compte des facteurs biologiques.

Il est impossible de séparer le physiologique du social. Pour les biologistes, c'est pendant le temps de la maturité sexuelle que le phénomène de sélection naturelle semble épargner l'homme, mais seulement si l'on s'en tient aux performances physiques et à la capacité de résistance aux maladies. C'est pendant la maturité sexuelle que l'organisme est au mieux de sa forme, mais il en va de la « maturité sexuelle » comme de la « maturité d'esprit » nécessaire à l'obtention de la majorité, c'est une notion bien vague. Il est possible de vérifier dans les statistiques médicales que la morbidité est en creux entre 20 et 30 ans ; pendant ces dix années on a toutes les chances de ne pas avoir à recourir au médecin ni au pharmacien. Mais si c'est entre 20 et 30 ans que l'on se porte le mieux, c'est à 15 ans que le taux de mortalité est à son minimum. Comme quoi les statistiques nous enseignent qu'il est toujours possible de mourir en bonne santé... (Ce qui est bien évident pour les jeunes accidentés de la route qui meurent après avoir « la maturité d'esprit suffisante» pour pouvoir passer le permis de conduire.)

Il est presque impossible d'évaluer de façon satisfaisante le poids des facteurs sociaux ou psychiques sur la maladie. Dans les études sur les femmes que nous avons longuement consultées, il est bien difficile de discerner ce qui est d'abord imputable à l'âge de la femme et ce qui est à verser au compte de son niveau de ressources ou de sa joie de vivre. Les antécédents médicaux familiaux sont retenus comme importants mais en quoi le sont-ils plus que la fatigue due à la durée des transports après la journée de travail ou que les erreurs dans la façon de se nourrir ou encore l'angoisse provoquée par une grossesse mal acceptée[1].

François Jacob rappelle que les biologistes ne s'expliquent pas réellement les mécanismes du vieillissement; ils se contentent d'en observer les effets. Connaître les mécanismes du vieillissement serait un premier pas vers l'immortalité de l'homme et nous n'en sommes pas encore là puisque nous grignotons seulement sur la part de vie qui est à conquérir pour atteindre la durée maximale connue (ce n'est pas à dédaigner). Il n'y a pas très longtemps que l'on étudie systématiquement les effets de la sénescence, l'allongement de l'espérance de vie stimule la recherche ou vice versa. Le vieillissement correspond «... au déclin qui après la maturité affecte progressivement avec l'âge la capacité de se reproduire et de survivre. La sénescence consiste non pas en la dégradation d'un système particulier mais en la détérioration de tout le corps...» Depuis «les degrés des âges» en passant par ce qu'enseignait déjà le professeur Binet il y a trente ans, les représentations et les définitions du vieillissement indiquent plutôt la direction générale que les étapes et leur contenu.

1. D'après une étude du Dr Claude Rømeau-Rouquette de l'INSERM, les risques de mortinatalité de prématurité seraient multipliés par deux chez les femmes immigrées et varieraient dans le rapport de 1 à 4 du haut en bas de l'échelle sociale.

Donc, nous vieillirons tous, certes. On peut être tout à fait rassuré par cette certitude. Mais au moins n'anticipons ni sur notre déclin ni sur notre mort. Ce qui importe, c'est l'emploi du temps de vie. Entre le temps du projet et le temps de la mémoire un espace de plus en plus large est laissé en friche.

La maturité sexuelle des femmes, c'est le temps de la capacité de se reproduire, c'est la capacité de faire des enfants. L'apparition des premières règles et la date de leur disparition sont les signes incontestables et bien repérables d'une séquence de leur vie. Mais là encore l'horloge humaine peut jouer des tours à sa façon car la durée entre puberté et ménopause peut varier de plus de douze années d'une femme à l'autre sans qu'il y ait lieu de s'étonner ou de s'inquiéter. Les spécialistes vous diront que c'est en raison des antécédents familiaux ou du « terrain », ce qui n'explique pas grand-chose, sinon la complexité de la machine humaine qui ne se laisse pas réduire au rythme de la montre ou à celui du calendrier.

En moyenne, la période fertile des femmes est d'environ quarante ans, mais ce peut-être plus ou moins pour une femme en particulier. A la fin de la séquence de vie fertile, le cycle féminin de 28 jours (mais cette lune-là est assez souvent mal lunée elle aussi) devient irrégulier, cette irrégularité signifie généralement la fin prochaine de la capacité d'enfanter. Cette préménopause est impossible à situer précisément pour une personne donnée car il y a des variations non négligeables d'un cas à l'autre. La préménopause commence le jour de la puberté comme le vieillissement commence le jour de la naissance . Chaque année qui passe nous en rapproche, mais il est impossible de fixer un terme, l'âge moyen est arbitraire, c'est une indication destinée à être utilisée avec précautions. D'ailleurs, l'âge moyen de la ménopause semble s'être déplacé lui aussi. Le temps pendant lequel les femmes sont fertiles, entre puberté et ménopause, n'est pas promis à des évolutions aussi spectaculaires que l'allongement du cycle de la vie, cette capacité d'engendrer qui correspond à la plénitude de la maturité physiologique adulte n'est pourtant pas totalement indissociable des conditions collectives du mode de vie. Il y a moins de deux cents ans la puberté était rare avant seize ans et la fertilité des femmes se terminait vers 41 ans, semble-t-il (mais n'oublions pas que ces chiffres ne sont rien de plus qu'une estimation établie sur l'ensemble des femmes ayant survécu dans des conditions bien éloignées de celles que nous connaissons aujourd'hui). Il faut néanmoins remarquer qu'un grand pas a été franchi lorsque l'allongement de la durée de la vie a permis aux femmes de vivre la totalité de leur vie fertile puis peu à peu de la dépasser. Aujourd'hui, il nous reste à vivre le tiers de notre cycle de vie après l'âge moyen de la ménopause. Un projet bien mené, une réelle gestion du temps de la capacité d'engendrer, peut reposer sur un calendrier d'années prévisible (tout en tenant la bride souple car la matière vivante est rebelle à l'emprisonnement statistique).

La fin de la vie fertile s'est éloignée du terme de la vie, la mort intervient longtemps après l'arrêt définitif des règles. Après sa ménopause, une femme peut espérer vivre encore vingt-cinq ou trente ans, soit le tiers de toute son existence. Le troisième âge de la femme, c'est le tiers de sa vie : sans consulter le calendrier, sans utiliser de « pilule », sans prévoir la petite fatigue sournoise « d'avant les règles ». Les modernes degrés des âges se redescendent tout doucement, à pas menus, l'âge de discrétion de la quarantaine, l'âge de maturité de la cinquantaine... pourquoi pas... c'est de bien vivre tout les âges successifs qui importe avant tout, tout peut être bon à goûter au banquet des âges, pour peu qu'une place vous y soit reconnue.

Faire des projets d'avenir, c'est prévoir et faire le compte de toutes les possibilités. Une jeune fille qui rêve sa future vie de mère doit savoir comment elle peut compter sur elle-même et sur son propre corps. Théoriquement une femme peut avoir des enfants pendant tout le temps où elle a « ses règles », entre puberté et ménopause, de 12 à 52 ans. Dans la vie de toute femme, il faut envisager quarante années pendant lesquelles il faudra différer... espacer... limiter... les naissances souhaitées. La planification du temps fertile est à envisager sur un long, très long terme. La contraception sera quotidienne pendant quarante années avec deux ou trois interruptions tout au plus.

Mais la fécondité de la femme est-elle certaine et constante tout au long de ces quarantes années une fois le mécanisme mis en route ? Aujourd'hui, c'est sur le seul signe de l'apparition des règles et de leur retour cyclique que se fait le diagnostic de la fécondabilité (et sur l'apparition des caractères sexuels secondaires, est-il précisé dans les manuels spécialisés lus le soir sous les draps à la lueur de la lampe de poche pour les pauvres attardées dont les parents sont encore intimidés par leur responsabilité d'éducateurs sexuels).

C'est donc sur ce signe que la pilule est généralement prescrite à la demande. Le Dr David, chef de service du CECOS[1], nous dit au cours d'un entretien : « Quand on parle de contraception on imagine qu'on bloque un mécanisme dont on suppose qu'il est toujours parfait, toujours prêt à fonctionner. Ce n'est pas vrai, il est parfois détérioré au départ et la contraception était inũtile. Parfois il est en train de se détériorer et on gâche la période utile... » La prudence du Dr David s'explique par sa probité de praticien ; il est responsable d'un service où se pratique l'insémination artifi-

1. Centre de conservation du sperme, hôpital de Kremlin-Bicêtre.

cielle et où aboutissent après une longue quête des cas difficiles de couples infertiles.

Au cours de notre enquête sur le sort des femmes et la régulation de la maternité, nous avons très rarement rencontré des Dr Tant-Mieux et le pourcentage des Dr Tant-Pis nous a semblé positivement alarmant, en tout cas le plus souvent alarmant pour les femmes. « Je travaille depuis huit ans avec un patron (dans un grand service hospitalier d'accouchements de la proche banlieue parisienne), il fait mettre systématiquement le « rond rouge » sur tous les dossiers des femmes de trente ans ou plus qui attendent un enfant, nous a confié une sage-femme. Cela les inquiète terriblement, elles se demandent ce qui ne va pas, elles se sentent coupables de quelque chose envers l'enfant à venir, sans bien savoir quoi. » La gamme des examens utiles s'est considérablement enrichie ; on peut y avoir recours pour toute grossesse suspecte. La maternité à partir de trente ans est le temps de la « grossesse à risque » et même de la « grossesse à haut risque ». Ces termes évoquent des images qui ne sont ni neutres ni inoffensives.

Moins de 2 % des femmes osent mener à bien une grossesse après quarante ans, 6 % des mères ont leur premier-né avant dix-neuf ans. En 1979, deux jeunes femmes ont accouché en France à l'âge de 14 ans, mais ces maternités si précoces sont tout à fait exceptionnelles. Pourtant, on constate que la puberté se vit de plus en plus jeune. La qualité des soins et l'alimentation du premier âge ont une influence décisive sur tout le développement physique des jeunes. La maturité sexuelle des adolescentes est en rapport direct avec l'évolution du poids et de la taille. L'âge moyen de la puberté s'est abaissé depuis plus d'un siècle à un rythme proche d'un an par génération (une génération = 30 ans).

Il y a cent cinquante ans la grande majorité de ce que nous considérons de nos jours comme des adolescentes étaient dans l'impossibiité physiologique de procréer. Les exemples abondent de mariages de convenance ou d'intérêt entre des jeunes gens de familles puissantes qui sont restés inféconds durant de longues années. Les jeunes Européennes étaient le plus souvent pubères vers 15 ans alors qu'aujourd'hui elles le sont plutôt vers 12 ans et cette précocité semble appelée à s'accentuer encore.

La maturité sexuelle adulte ne se met pas en place brutalement, elle est acquise après plusieurs mois et parfois plusieurs années selon les individus. Pendant cette période intermédiaire entre l'enfance et la pleine capacité adulte d'engendrer, les mécanismes de la reproduction sont en «rodage» et les risques génétiques qui menacent le fœtus pendant cette période sont à peu près du même ordre, et ont la même probabilité de se produire que les risques encourus au cours de la période de déclin qui précède la ménopause.

La sexualité adolescente se doit d'être inféconde, cet interdit est tacitement admis et respecté aux plus jeunes âges de la vie féconde, jusqu'à dix-huit/vingt ans. Pour éviter les grossesse trop précoces trois moyens étaient envisageables: maintenir une surveillance étroite des adolescentes (gardez vos poules, je lâche mes coqs, comme au Bon-Vieux-Temps !). Ou bien veiller à répandre l'information et permettre l'accès aux contraceptifs féminins à des âges où la pratique des rapports sexuels est plus ou moins reconnue comme possible et même souhaitable pour les filles. Enfin, libéraliser l'accès à l'avortement dans des conditions de surveillance médicale afin de corriger les conséquences inopportunes de rapports sexuels qui se doivent d'être infertiles à ces âges de la vie.

En 1980, aux fameux Entretiens de Bichat, une table ronde était présidée par madame le Ministre délégué de la famille et de la Condition féminine du moment. Cette table ronde s'est préoccupée des résultats d'une enquête qui avait été menée dans des établissements d'enseignement. Elle attirait l'attention sur ces problèmes où se conjuguent les changements qui affectent la physiologie, l'évolution des techniques et la lente adaptation des mentalités qui prennent toujours si péniblement le train en marche. Plus de la moitié des lycéennes interrogées (entre 15 et 18 ans) déclaraient avoir déjà eu des relations sexuelles plus ou moins régulièrement. En 1979 en France, 6 700 lycéennes ont avorté plutôt que de mettre au monde un enfant dont la venue était ressentie comme absolument incompatible avec l'âge de la mère. Mais nous verrons que l'enfermement de l'utilisation du temps de fertilité des femmes n'est pas justifié à partir des mêmes arguments selon que la limite permise n'est pas encore atteinte ou bien est déjà dépassée, selon qu'il est trop tôt ou selon qu'il est trop tard par rapport à l'âge « idéal » pour être mère.

Comment ces jeunes lycéennes ont-elles pu estimer jusqu'à quel point elles avaient des « chances » de provoquer une grossesse ? Du temps de leur mère, on disait « tomber enceinte » en référence à la chute d'Eve qui avait croqué la pomme. « Tomber enceinte devient une expression d'un temps révolu ayant pris un petit coup de vieux, le bon-vieux-temps où le magnanime Victor Hugo écrivait : « Oh ! n'insultez jamais une femme qui tombe... »

Une femme peut-elle avoir des certitudes sur sa propre fécondabilité ? En vérité, elle ne peut en avoir aucune. Hormis un essai concluant de grossesse, elle ne peut que faire une estimation de ses « chances » d'être effectivement féconde. Il existe bien des examens de laboratoire, mais ces examens devraient avoir lieu périodiquement pour tester la probabilité de la fécondabilité et la stabilité de cette fécondabilité. Bien évidemment, il n'y est fait appel que dans des cas difficiles et pathologiques. En l'absence d'une surveillance aussi contraignante, on ne peut que se référer à des estimations statistiques en utilisant les moyennes comme repère comme on s'habille en « prêt-à-porter » en espérant avoir la taille mannequin, ce qui n'est pas donné à tout le monde mais convient à la majorité.

Le Dr Françoise Spira résume ainsi les conclusions de trois études récentes réalisées dans les laboratoires de recherche de l'INSERM : « La fécondabilité varie effectivement avec l'âge de la mère, elle augmente jusqu'à 25 ans environ, reste stationnaire jusqu'à 35 ans pour ne devenir nulle qu'au moment de la ménopause. » A partir de 35 ans, la fécondabilité semble diminuer légèrement, à partir de cet âge nous ne sommes pas dans l'alternative du tout ou rien mais dans le doute du « peut-être. » Les femmes le savent bien qui prennent si sagement leur pilule quotidienne bien longtemps après l'âge moyen des mères.

Ce sont d'ailleurs les mères de famille ayant déjà réalisé leur planification familiale qui ont été en majorité les premières utilisatrices régulières de la contraception féminine. Une généticienne dont les travaux sont consacrés à l'étude de la reproduction humaine préfère parler de la deuxième partie du cycle reproductif à partir de 32/35 ans. Cette spécialiste des études sur la qualité de l'ovulation nous dit que les cycles peuvent alors devenir plus irréguliers pendant un nombre d'années qu'elle place entre 38 et 53 ans sans pouvoir préciser jusqu'à quel point le biologique est le facteur le plus important et le plus déterminant sur les variations de l'intensité de la fertilité. Cette femme, qui expérimente dans son laboratoire sur des animaux, insiste sur les aspects psychologiques et affectifs qui sont indissociables de la maternité. Pour elle l'élan amoureux est aussi une donnée scientifique, mais elle ne peut pas le mesurer tout en sachant très bien qu'il faut en tenir compte, aussi elle reste assez prudente sur les expériences qu'elle entreprend et se méfie de conclusions générales sur le fonctionnement du corps humain. Elle est très réservée sur l'usage qui peut en être fait lorsque de tels travaux servent de référence dans les discours tenus sur la femme. La connaissance dans le domaine de la génétique avance à grands pas et même à grandes enjambées depuis une vingtaine d'années, mais un acquis est le plus souvent une vérité fragile et toute provisoire.

Jusqu'à quel point peut-on planifier la venue au monde de son enfant ? Peut-on choisir avec précision la période de la conception pour une femme, dans des conditions banales de bonne santé générale ? Une très intéressante étude a été faite en 1980 à partir de 2 279 femmes enceintes qui ont accepté de répondre à une enquête de l'Unité de recherches statistiques de l'INSERM[1]. A partir des observations de cette étude, il se confirme que la fécondabilité des femmes varie selon une certaine courbe et que l'âge y joue un rôle. L'âge de la mère figure dans toutes les statistiques de natalité, mais c'est seulement la confrontation entre cet âge et d'autres données qui peut permettre de mieux comprendre les mécanismes sociaux de la gestion collective du temps fertile des femmes.

Une autre enquête concernant 4 000 couples est en cours et permettra de mieux faire la part de la stérilité pathologique de l'homme chez les couples inféconds. L'âge de l'homme, sauf dans des cas extrêmes, est rarement au premier plan des préoccupations médicales pour des raisons physiologiques bien réelles, mais le poids des mentalités n'est pas totalement étranger au retard pris par la recherche médicale dans ce domaine. L'âge moyen de l'andropause est sensiblement plus élevé que l'âge de la ménopause, et c'est à la durée et à l'intensité de la fertilité de la femme que les médecins s'intéressent de prime abord.

Les grands écarts d'âge dans les couples des parents

1. Sous la direction du Dr Alfred Spira.

deviennent peu fréquents et l'âge de l'homme est rarement mis en cause par la médecine à propos de la faculté de procréer. Ce serait mettre en doute la virilité masculine. On se contente traditionnellement de sourire lorsqu'il y a une trop grande différence d'âge entre les conjoints. Il était d'usage de plaisanter sur les vieux maris ; dans la bourgeoisie bien-pensante, on disait que « la somme des âges devait être constante ». Étant bien entendu que plus l'homme est âgé plus la femme doit être jeune, afin de maintenir ainsi constante la somme des âges. On plaisante rarement dans l'hypothèse inverse. Lorsque la femme est plus vieille que le mari, on formule quelques réserves et on manifeste une vague inquiétude sur l'avenir du couple et sur l'équilibre affectif et physique des enfants.

Fécondabilité et intensité de la fécondabilité chez la femme semblent plus faciles à repérer. Une première approximation se fait sur deux indications complémentaires. Le phénomène essentiel dans la physiologie de la reproduction, c'est l'ovulation qui se produit à intervalles réguliers, en principe toutes les quatre semaines. En l'absence de grossesse, les règles qui apparaissent servent de preuve : l'ovulation s'est produite. La femme est supposée être féconde, son âge vient compléter cette estimation mais sert plutôt d'indication de l'intensité de la fécondabilité. La pathologie du pouvoir fécond masculin est plus difficile à mettre en lumière, elle n'en existe pas moins. On dispose encore de très peu d'études systématiques sur ce sujet « tabou » il n'y a pas si longtemps.

Que peut-on retenir de l'ensemble des observations du Dr Spira et de son équipe dans l'étude des 2 279 femmes enceintes ?

Tout d'abord que le corps humain a naturellement tendance à manifester de menus caprices et qu'il faut faire la part de la présentation des résultats et de la façon dont les textes les plus scientifiques sont rédigés. Il faut toujours prendre quelque distance avec les chiffres. Les résultats statistiques de probabilité de conception pour une femme ou pour un couple s'appellent soit « risques statistiques », soit « chances statistiques », ce qui ne veut pas dire tout à fait la même chose. Dans un cas le verre est à moitié vide et dans l'autre il est à moitié plein. Tout dépend des opinions profondes et mal contrôlées de celui qui présente les résultats. Lorsqu'on nous dit que la femme risque avec l'âge d'attendre deux fois plus longtemps, sachons qu'il est question de cycles, c'est-à-dire d'autant de fois 28 jours, on pourrait aussi bien dire qu'avec un peu de persévérance une femme un peu plus âgée a des « chances » de parvenir à ses fins si elle désire mettre un enfant au monde. De toute façon, même lorsque la mère n'a pas de problèmes de santé particuliers elle ne doit pas s'attendre à provoquer la grossesse avec la précision des horaires de la S.N.C.F. En moyenne, après interruption de la contraception, de quelque nature qu'elle soit, on peut s'attendre à un délai de un à six mois. La contraception féminine utilisée par près de trois millions de Françaises semble allonger un peu les délais d'attente car on constate une diminution temporaire de la fertilité après utilisation des contraceptifs oraux. Il est important de savoir que la femme la plus « normale » n'en est pas pour autant une mécanique de précision[1].

Dans le groupe des 2 279 femmes enceintes, 30 % des grossesses avaient été obtenues dès le premier mois après interruption de toute méthode anticonceptionnelle. Le délai moyen nécessaire pour concevoir a été de cinq mois et dans certains cas il a fallu attendre plus longtemps encore sans qu'il y ait à s'alarmer. Pour l'ensemble de ces femmes 85 %

1. L'allongement du délai d'attente pour les femmes qui pratiquent la contraception orale avant la grossesse est en moyenne supérieur d'un mois, par rapport aux utilisatrices de toute autre méthode.

des grossesses sont survenues dans les six mois. On sait que la maternité exige une certaine dose de patience après la naissance. La patience s'avère parfois nécessaire avant la conception.

Les délais d'attente s'allongent avec l'âge de la future mère. En l'absence de toute autre information (en particulier sur le passé gynécologique des femmes), de 20 à 24 ans le délai moyen est de trois à quatre mois et au-delà de 35 ans, les délais peuvent atteindre un an et plus. « Trente-cinq ans, impatience ! » une fertilité un peu moins intense suffit pourtant pour faire un très beau bébé. De telles études sont encore trop rares, elles sont difficiles à mener à bien car il faut pouvoir s'assurer le concours de personnes bénévoles qui n'ont pas un intérêt direct et immédiat à se soumettre à des investigations sur ce qui est considéré comme étant du domaine de la vie privée. Certaines des questions auxquelles elles ont bien voulu répondre ne pouvaient absolument pas être posées il y a dix ou quinze ans. Le progrès de la connaissance va de pair avec la libération des mœurs.

Les résultats doivent être interprétés souplement et avec bon sens. Ils doivent toujours être passés au crible d'une réalité extrêmement complexe dans tout cas individuel. Pour chacun d'entre nous, il en va de l'utilisation des indications fournies par les statistiques comme de la lecture du dictionnaire médical. On peut s'y reconnaître toutes les maladies dont on serait atteint ou bien ne les attribuer qu'aux autres. Le bon équilibre est entre les deux.

Comment prévoir et établir un calendrier ? Il est toujours sage de prévoir une marge. Très peu de couples auront la chance d'atteindre une grande précision et de placer la date prévue de l'accouchement juste avant les congés payés. Dans la société d'Ancien Régime, ce sont les travaux agricoles qui imprimaient leur rythme saisonnier à la fécondité. Aujourd'hui, le moment convoité de l'accouchement pour les couples qui travaillent est de préférence celui qui précède l'exode urbain des vacances d'été.

La fécondabilité maximale dans un groupe de population ne dépasse pas une valeur moyenne de 25 %. En d'autres termes, la grossesse effective, obtenue dès le premier cycle de la femme, ne s'observe que chez un couple sur quatre et dans les tranches d'âge réputées comme étant les plus fertiles. Sur cent couples qui aspirent à devenir parents, 25 % seulement y parviendront dès le premier mois. Le calendrier de la conception est lui aussi un temps humain, un temps vivant et parfois « élargi ».

17

LA MÉDICALISATION DU TEMPS FERTILE

Le temps industriel s'empare de la matière vivante et tente de la réduire à ses cadences. Le Petit Prince n'attend plus sagement l'apparition de l'aurore pour proclamer que le jour se lève. C'est l'usine et le bureau qui asservissent la durée de la nuit et décrètent l'heure d'été. Le temps fertile, avec ses bio-rythmes de 28 jours et sa durée totale limitée naturellement dans tout cycle de vie féminin, n'échappe pas à l'entreprise de soumission au temps producteur d'objet.

La contraception féminine orale possède une efficacité qu'aucun procédé contraceptif n'avait pu atteindre. La médecine, balbutiante en tant d'autres domaines où elle est appelée à maîtriser les réactions physiologiques, s'est trouvée investie d'un pouvoir de régulation qui dépasse de très loin toutes les tentatives thérapeutiques de dompter la nature. Dans la gamme des soins, du cancer au rhume banal, que d'efforts aléatoires et dont l'effet n'est pas mesurable. Par contre, les moyens techniques de surveillance médicale de la fécondité permettent une régularité qui réduit au maximum le hasard et le plie à la décision.

Pouvoir de l'homme sur la machine, pouvoir de la

machine sur la nature, pouvoir technique sur la décision, pouvoir sur la nature fertile de la femme...

Un médecin-obstétricien qui a œuvré avec courage et persévérance pour une meilleure maîtrise du hasard dans le déclenchement de la grossesse, un des vétérans de l'introduction du planning familial en France, écrit dans un livre dédié au libre choix des femmes : « Un bel accouchement se conduit comme une automobile... » Le hasard chassé par la technique s'efface devant des attitudes qui se disent modernistes et se veulent rationnelles, mais qui va conduire le bel-accouchement-automobile et dans quelle direction ?

C'est à partir de la technique et des possibilités qu'elle donne que se déterminent de nouvelles limites, d'autres seuils de tolérance à la souffrance, au malheur, à l'imperfection, à la maladie.

« Tu accoucheras dans ton jeune âge », au mieux de ta forme, lorsque la machine est encore neuve, juste rodée, devient un commandement qui dépasse les buts thérapeutiques que vise la médecine : diminuer la mortalité périnatale, réduire les risques de prématurité, soulager et prévenir les perturbations physiologiques que comporte toute grossesse, informer et guider le choix des mères en cas de malformation grave détectée avant la naissance...

Avoir le pouvoir de déclencher ou d'interdire la fécondité par la contraception médicalisée et ne pas s'en servir pour faire pression sur la fertilité, avoir quelques connaissances et les mettre à la libre disposition des femmes, être un supertechnicien de la mise au monde des enfants et avoir des doutes sur la conduite du bel-accouchement-automobile, mettre la technique au service de la vie, ne pas pathologiser la grossesse sous le couvert de la prévention et ne pas faire de l'accouchement un acte chirurgical, ne pas infantiliser les femmes en les enfermant dans un temps fertile précoce... est-ce donc si difficile ?

Considérer le corps en oubliant la personne, lutter contre la maladie et la dégradation sans tenir compte des sentiments intimes, observer l'utérus et ne pas voir la mère, surveiller la gestation et négliger la maternité... est-ce véritablement la voie la plus évidente ?

Les médecins qui nous ont reçues au cours de cette enquête vivent l'exercice de leur métier avec toutes ses imperfections et ses ambiguïtés. Ils se camouflent souvent derrière trois niveaux de protection vis-à-vis de leurs parturientes : une hiérarchie encore très acceptée en milieu hospitalier entre hommes et femmes, la distance entre les jeunes et les moins jeunes et ce qui sépare celui qui sait de celle qui ne sait pas.

Le dialogue avec le médecin reste de surface à l'hôpital, la surprotection dont se voient entourées les femmes « à hauts risques » du fait de l'âge est génératrice d'un malaise certain. « Chère petite madame, faites-moi confiance et tout ira pour le mieux. » Voilà un discours démodé par la montée du niveau de scolarité de la population et qui est évidemment moins bien accepté après trente ans qu'avant vingt-cinq. Une « petite jeune » est plus souple et suggestible. Une femme ayant acquis une plus grande maturité peut prendre plus de distance, mais néanmoins il lui faut une âme bien trempée pour résister à la démoralisation lorsqu'elle se sait stigmatisée comme hors d'âge, ayant osé une maternité « tardive » et à « hauts risques ».

La grossesse pour une femme, c'est l'aboutissement et le début de rêves intimes ou partagés. Bien des femmes interrogées sur le souvenir qu'elles en gardent nous ont raconté ces mois de gestation avec des sourires mi-figue mi-raisin. Elles ont dû lutter avec vaillance pour préserver la couleur layette bleue et rose de l'attente épanouie lentement savourée en attendant la venue de bébé. Leurs souvenirs ressemblent moins à l'antichambre chaleureuse de leur future vie de mère qu'à la salle d'attente anonyme et surchauffée des consultations en tous genres qui se sont avérées nécessaires. Les rendez-vous à prendre, les papiers à remplir, les pièces justificatives, les stations interminables devant la porte du médecin avant l'interrogatoire mené grand train et qui vous laisse plus perplexe que rassurée, les examens destinés à lever les doutes du docteur et qui éveillent les vôtres, les cabines de déshabillage et les démêlés administratifs... Décidément, la grossesse, ce n'était pas ce qu'elles avaient attendu et espéré. Que de méandres administratifs, que de couloirs hospitaliers avant de s'entendre annoncer le merveilleux « c'est une fille » (ou un garçon) au moment de la naissance.

La réduction du désir d'enfant à un acte médical ou chirurgical est d'autant plus pénible que la future mère se sent désignée comme hors norme, coupable de s'être mise en demeure d'être un sujet pathologique : primipare âgée ou grossesse tardive. Il faut dissimuler son inquiétude lorsque passe au-dessus de votre ventre tout un vocabulaire à demi compréhensible et porteur d'orages : le facteur de risques, la rubéole, l'albumine, la scoliose, le diabète et la césarienne, les agglutinines, la prématurité, la pelvimétrie, le congé légal, l'amnioscopie, le tiers payant, le col de l'utérus, la fiche de paie, le fœtus, l'immunité, l'ouverture des droits, le périnatal, le facteur Rhésus, l'obstétrical et... la psychoprophylaxie si souvent nécessaire pour raviver l'optimisme indispensable à toute grossesse bien supportée !

Chaque époque, chaque société, chaque groupe humain crée de petites variantes à la règle générale et universelle de surveillance et d'encadrement du temps fertile des femmes.

On peut faire une proposition schématique et caricaturale de quatre moments clefs où l'interdit social de procréer est levé (pour le sexe féminin s'entend).

Dans une première hypothèse, celle qui accorde un grand

prix à la virginité et à la vertu, c'est dès les premiers rapports sexuels que la femme est potentiellement enceinte. Dans une deuxième hypothèse, c'est à partir du mariage officiellement célébré que la maternité peut avoir lieu. Dans le troisième cas c'est d'abord la stabilité affective et économique du couple qui permet le désir d'enfant. Et enfin, dernière proposition, l'enfant est conçu comme une partie d'un projet d'ensemble du cycle de vie de la femme.

Dans l'esprit de nos contemporaines s'opère un mélange subtilement dosé de ces quatre propositions. Le futur se bâtit sur un terrain ancien, il est bien naïf de penser que l'on peut extirper toutes les vieilles racines et puis est-ce bien souhaitable ?

Dans tous les projets des femmes se trouve un petit grain supplémentaire de puritanisme religieux ou une légère touche de romantisme. Dans le désir de maternité, les pressions économiques et sociales sont toujours présentes ainsi que les perspectives professionnelles et la capacité d'exercer un plus libre choix grâce aux contraceptifs féminins.

Selon les origines familiales, selon l'implantation géographique (car on ne raisonne pas tout à fait selon le même schéma au village ou dans la grande ville), selon le niveau d'études... le fléau de la balance penche d'un côté ou de l'autre. Le choix des femmes n'est jamais tout à fait libre. Il suffit pour s'en convaincre de constater que c'est encore et toujours dans le mariage qu'elles vivent (très majoritairement) le temps de la prise en charge maternelle. On tente à tout prix d'appliquer les vieilles recettes avant que de rompre les amarres.

Le refuge dans l'institution évolue et s'adapte, mais le mariage reste encore un verrou au désir d'enfant des femmes, c'est le mariage qui donne la « majorité » maternelle ; plus de 89 % des naissances sont « légitimes », c'est-à-dire « licites ».

Est-ce bien le mariage en lui-même et à lui seul qui donne le feu vert à la fécondité? Rien ne permet de l'affirmer. L'âge « habituel » des filles au mariage permet le mariage, le mariage permet la venue au monde des enfants, la venue au monde des enfants correspond à l'âge de la mère à la naissance qui...

Traditionnellement, mariage et maternité se suivent de très près. L'âge à la maternité ne correspond pas exactement à la « maturité » physiologique ni à la stabilisation des rapports sexuels d'apprentissage de l'adolescence. L'écart entre l'âge moyen à la puberté et l'âge au mariage s'est creusé au fil du temps, il est de plus de 14 ans de nos jours mais la maternité survient toujours proche de la date des épousailles comme au bon-vieux-temps. Ainsi la maternité peut être considérée comme « tardive » non pas par rapport à l'âge de la femme, mais par rapport à la date du mariage.

Les attitudes devant la vie n'évoluent que bien lentement ; au cours des vingt dernières années, les femmes ont gagné plus de deux ans d'espérance de vie, ce qui allonge d'autant leur espérance de vie parentale. Pendant cette même période, la contraception féminine s'est étendue à des couches de plus en plus larges de la population, elle fait partie du quotidien de presque trois millions de Françaises. Cette période d'adaptation à une nouvelle attitude planificatrice des naissances n'a eu aucun effet libérateur sur le calendrier du temps fertile.

Entre 1960 et 1975, plus de 80 % des couples ont eu au moins un enfant dans les cinq ans qui ont suivi la date de leur mariage. C'était il y a plus de vingt ans, pensez-vous, depuis tout a bien changé, nous sommes dans l'ère du libre choix. Il semble que ce soit le choix... de ne pas remettre en cause cet héritage des pratiques du passé. Le maintien de ce faible écart entre la date du mariage et la venue au monde des enfants empiète de plus en plus sur le temps « élargi » de l'adolescence moderne, en tout cas de l'adolescence des jeunes femmes. Le temps de la maternité ne s'est pas «élargi»: il va dans le sens d'un faible rajeunissement et d'une plus grande concentration.

En 1960, l'âge moyen de l'enfantement est de 27,7 ans, en 1970 il est de 27,2 ans, il passe à 25,5 ans en 1978. Pour donner une image plus réelle que ces chiffres qui additionnent l'ensemble des âges des mères avant de nous en donner la synthèse, prenons une «fourchette» d'âge et nous constatons alors que la concentration entre 24 et 31 ans s'est considérablement accentuée. Il y a bien eu des mères dont l'âge débordait ce cadre, mais les démographes peuvent dire que la dispersion des âges tend à se réduire, au cours de cette période de temps où il est question du libre choix et du légitime désir d'enfant. Quant à nous, nous pensons que l'enfermement du temps de la fécondité des femmes est devenu plus rigide et plus étroit.

Pour déplacer les limites du calendrier, il est possible de retarder le mariage, de créer un écart plus grand entre mariage et première naissance, ou ne pas tenir compte de l'institution matrimoniale et de raisonner sur l'ensemble du temps fertile dont les femmes disposent.

Vers une modification du calendrier

En 1978 paraissait un article dans la très sérieuse revue de l'Institut national de la statistique: ECONOMIE ET STATISTIQUE. Cet article signé M. de Saboulin était titré: *Un nouveau calendrier des premières naissances*. L'auteur signalait que la proportion des couples français qui avaient au moins un enfant après quatre ou cinq ans de mariage était sensiblement la même depuis quinze ans, mais que les couples nouvellement mariés avaient tendance à attendre un petit peu et laissaient se creuser un faible écart entre la date de leur mariage et le début de la grossesse de la femme. Cette tendance n'affectait que les naissances qui se produisaient habituellement entre huit mois et dix-huit mois de mariage, puis apparemment tout rentrait dans l'ordre, puisque ce retard se trouvait finalement comblé par la suite. Mais les nouveaux couples s'accordaient néanmoins un petit temps du duo conjugal avant que ne s'élargisse le « cercle de famille ». Pour le commun des mortels, il semble qu'il n'y ait pas là de quoi fouetter un chat puisque dans les cinq ans tout revenait au même ; seul compte le résultat final. C'était un petit changement d'attitude, mais pas une révolution. Ce léger glissement par rapport à des habitudes solidement implantées a pourtant fait l'effet d'un pavé dans la mare et provoqué quelques remous. Cet article, d'un statisticien solidement documenté, a provoqué de véritables cris d'alarme. Il fallait attirer l'attention sur les dangers que comporte la remise en cause d'un *statu quo* plus ou moins admis jusque-là : pas de mariage, pas d'enfant ; dès le mariage, un enfant.

Cette petite hirondelle annonçait-elle le printemps, la fonte des neiges, le bris de la glace, la débâcle ! Le calendrier de l'utilisation du temps de fertilité des femmes était-il donc sérieusement menacé par ce petit temps de mise en route à deux avant que d'être trois ?

Certains ont craint que les femmes prennent le temps de réfléchir et de raisonner sur le « moment le plus favorabe » pour mettre les enfants au monde. Qu'elles jettent leur bonnet de Catherinette aux orties sur le chemin du bureau, de l'usine ou de l'université. Qu'elles dansent sereinement au bal de leur vingt-cinquième anniversaire en faisant des projets sur l'ensemble de leurs espérances.

Qu'elles n'acceptent d'envisager l'enfantement que tout compte fait et toute réflexion longuement mûrie.

Ce modeste écart à la règle tacitement proposée et acceptée était peut-être le timide signe avant-coureur d'une réorganisation générale du temps de la maternité dans la vie des femmes.

Des réactions très vives ne se sont pas fait attendre ; moins d'un an après la parution de cet article le *Quotidien du médecin* donnait le compte rendu d'un rapport émanent du Haut Comité de la Population et intitulé : *Aspects médicaux des évolutions démographiques récentes.*

En avant-propos, les auteurs de ce rapport se déclaraient «... convaincus qu'il ne convient pas de se comporter en spectateur mais qu'un plan d'action doit être proposé pour maîtriser et infléchir les évolutions qui se dessinent».

Mais comment «maîtriser et infléchir» une modification de comportements qui relèvent de la vie privée et sur lesquels on n'a pas beaucoup de prise ? Comment persuader un jeune couple de faire un enfant en temps et en heure voulus ? S'il est délicat et souvent coûteux de séduire, il est toujours possible de menacer. L'autorité scientifique est appelée à la rescousse et va alerter sur ce qui menace l'enfant à venir, sur la qualité du fœtus, et sur les dérèglements de l'état physique et mental des mères «tardives».

L'instrument qui permet aux femmes de différer la première naissance, de planifier à leur gré, de limiter le nombre final d'enfants, c'est la contraception féminine orale médicalisée. On va une fois encore mettre en lumière les dangers probables de son utilisation prolongée. En l'état actuel des mœurs et des possibilités techniques, comment éviter le recours à cette contraception parfaitement efficace et dont la femme assume le contrôle quotidien ? Un démographe[1]

1. H. Leridon, de l'Institut national d'études démographiques.

muni de sa petite machine à calcul a décompté 140 cycles ovulatoires pour deux ou trois conceptions effectives pendant la période « d'exposition au risque » entre 15 et 45 ans. Il aurait pu tenir également compte des cycles ovulatoires des femmes de plus de 45 ans qui ne dédaignent pas « l'exposition au risque », mais il ne faut pas trop exiger.

Selon le rapport, les pouvoirs publics ne doivent plus ignorer les dangers « probables » des évolutions démographiques, si ténues soient-elles, les médecins doivent s'en préoccuper et en tenir compte dans leur attitude thérapeutique. Ce petit écart est lourd de conséquences car... le retard de l'âge de la femme lors du premier mariage et l'allongement de l'intervalle entre le mariage et la première naissance ont pour conséquence l'augmentation de l'âge de la mère à la première naissance ainsi qu'aux naissances suivantes... (Ces déductions en chaîne sont élémentaires, mon cher Watson !)

Dans les faits, les écarts constatés au début de la constitution de la famille sont de l'ordre de quelques mois, les écarts d'âge entre les enfants restant assez stables, de trois ans en moyenne, dans les dix ans qui suivent le mariage les couples ont définitivement assuré leur descendance. On assiste depuis le début du siècle à un rajeunissement progressif de l'âge des mères au moment de la naissance de leur dernier enfant et non pas à un vieillissement de l'âge à la naissance du premier. Mais la naissance « hâtive » a une très grande importance semble-t-il puisque devant ces nouvelles attitudes, et malgré la minceur des indices, il convient de prévoir, et de prévoir le pire.

Le statisticien, Michel de Saboulin, avançait l'idée que : « ... Les premières années du mariage seraient le moment privilégié de la vie du couple, impliquant de nombreuses relations sociales, des activités de loisir et de culture, la poursuite de l'activité professionnelle féminine... grâce à la diffusion des idées et des moyens de contraception. » Voilà bien de quoi sonner le tocsin !

En effet, quoi de plus dangereux que cet apprentissage à deux de la vie sociale et des activités de loisir : voyager un peu, aller au cinéma, ou prendre « un pot » en amoureux, et qui sait, pire encore... chercher à modifier la marche du monde au cours de soirées enfumées et enthousiastes. Utiliser la pilule pour ne pas se couper inopinément de la vie de travail... alors qu'il y aurait tant à faire à la maison pour une toute jeune maman !

Les membres de la docte assemblée du Haut Comité de la Population, réunis sous l'autorité d'un éminent professeur, ont cherché à établir un lien direct entre ces modestes modifications de comportement des couples et la montée de la maladie. Il fallait démontrer que le changement est néfaste et porte en lui les germes d'une pathologie spécifique qui ne peut manquer d'atteindre et la mère et l'enfant. Les conséquences en sont « probables » et probablement funestes. Alertons les médecins praticiens, qui à leur tour ne manqueront pas de prévenir et de conseiller leurs patientes sur les risques auxquels s'exposent les maternités déplacées, tardives, dissidentes.

La distance entre l'information et la vindicte est parfois assez mince. Tous les médecins qui examinent des femmes et suivent leur grossesse, ou pratiquent l'accouchement, sont unanimes à signaler l'angoisse croissante des futures mamans qui « ...demandent des explications à tout bout de champ, exigent des commentaires sur les résultats des examens, et réclament de plus en plus... surtout les plus âgées ». L'acte naturel de porter un enfant devient une pseudo-maladie lorsque les examens se multiplient par trop et que le dossier porte le « rond rouge » du « haut risque ». Former et informer des femmes qui ne sont pas des spécialistes et n'auront pas l'occasion d'enfanter de nombreuses fois est des plus difficile, convenons-en. Mais il n'était pas tant question d'informer sur de sensibles évolutions démographiques que de donner des arguments accablants dans le rapport destiné au ministère et qui débute par cette affirmation : « Le délai qui se creuse entre la date du mariage et la venue au monde du premier enfant ne peut manquer d'avoir des conséquences biologiques très importantes. »

Le premier tiers du texte va porter sur les menaces qui pèsent sur l'enfant à venir lorsque la future mère est âgée, le second tiers sur les méfaits de l'utilisation de la pilule contraceptive sur l'équilibre physiologique des femmes et enfin une partie sera consacrée au tabagisme féminin et à la relation entre la dépression et les contraceptifs hormonaux. Des chiffres et des graphiques « vont illustrer de façon probante la relation entre l'âge de la mère et les risques de malformation de l'enfant ». Une note en bas de page, qui suit un graphique établissant une relation positive entre la mortinatalité (la mortalité des enfants à la naissance) et l'âge de la mère, nous apprend que ce graphique a été mis au point par deux démographes et publié en... 1948. De plus, il a été élaboré à partir de statistiques italiennes datant de 1937, 1938 et 1939. On s'étonne, étant donné l'abondance des travaux, en particulier ceux de l'équipe du professeur Minkovski à Paris durant ces dernières années, que la commission ait recours à des documents si anciens pour appuyer sa démonstration.

Plus loin, le rapport souligne l'influence néfaste de la contraception orale « décelable » dans la classe d'âge comprise entre 30 et 40 ans ; il est bien évident qu'en l'état actuel des mœurs et des possibilités contraceptives efficaces, c'est dans cette classe d'âge que les femmes sont presque obligatoirement conduites à espacer et limiter les naissances à l'aide de la pilule. Il faut signaler ici que la classe d'âge des femmes qui ont plus de 30 ans et moins de 40 ans est très rarement étudiée. La plupart des travaux qui isolent les

« maternités tardives » portent sur des femmes de 40 ans et plus et les conclusions de ces études sont étendues à l'ensemble des femmes ayant dépassé l'âge habituel à la conception. La stigmatisation des « grossesses tardives » englobe dans le même lot la multipare chargée d'enfants et qui attend un enfant supplémentaire dans des conditions sociales difficiles et la primipare « âgée » de 28 ans et plus.

Un autre graphique est présenté et destiné à corroborer l'idée de la menace que représente l'âge de la mère sur la qualité du fœtus. Il est tiré d'une publication de P. Murphy, publiée sous le titre *Congénital Malformations*, il repose sur un échantillon de 1584 individus dont nous ne savons rien par ailleurs, de plus nous ne savons pas de quel type d'anomalies il s'agit. Cette étude-là date de 1940.

Après l'enfant, c'est le corps de la mère qui est mis en cause par la maternité trop tardive. On apprend que le cancer du sein atteint de préférence les femmes stériles ou trop longtemps stériles. C'est B. Mac Mahon qui en 1970 remarque « une relation quasi linéaire entre le risque d'avoir un cancer du sein et l'âge de la mère à la première naissance ». Une fois le retard pris, pas question de rattraper par la suite cette erreur redoutable en ayant plusieurs grossesses : « Cette relation persiste quel que soit le nombre total d'enfants », confirme B. Mac Mahon.

Une attention soutenue lors des colloques spécialisés, la lecture attentive des écrits divers des spécialistes... suffisent à persuader chacun de nous qu'il est très dangereux de vivre. Mais soulignons avec force et attirons l'attention sur le fait qu'il est particulièrement malsain d'être une femme, et chacune doit s'attendre à être tôt ou tard atteinte dans ce qui fait sa spécificité. La féminité est une cible privilégiée pour le cancer. Si vous avez vécu une grossesse tardive, attendez-vous au cancer du sein car « le recul de l'âge de la mère lors de la première naissance observé récemment conduit à une augmentation de ce risque». Mais il n'y a pas d'échappatoire à votre destinée femelle et si vous vivez une grossesse précoce... c'est le cancer de l'utérus qui vous guette. Le cancer, hélas, existe bel et bien, inutile de nier ses ravages, mais la misogynie scientiste n'est pas absente non plus des discours savants.

L'information est soigneusement triée, lorsque, dans le rapport, il est question du mongolisme des enfants conçus en fin de vie fertile, rien n'indique que les mêmes dangers sont possibles au début de la période fertile et peuvent atteindre les premiers-nés de mères jeunes. De plus, les techniques de diagnostic prénatal par amniocentèse ont été introduites en France dès 1973, elles sont largement expérimentées aujourd'hui, permettent de déceler *in utero* les anomalies chromosomiques et de rassurer les femmes dans 99 % des cas sur l'issue de la grossesse.

Et puis la pilule, une fois de plus, est sur la sellette. La liste des conséquences «probables» de la diffusion des contraceptifs chimiques est impressionnante. La contraception féminine est directement incriminée à propos des affections cardiovasculaires : thrombo-embolies, hémorragies cérébrales... «Elles sont en constante augmentation... La mortalité par maladie cardiovasculaire est dix fois plus élevée pour les femmes qui ont utilisé la contraception chimique sans discontinuer pendant cinq ans ou davantage, le risque persiste même après l'arrêt de la prise de contraceptifs oraux.» Étant donné le nombre moyen d'enfants des femmes et les quarante années de vie fertile, il y a réel problème de régulation car en fait tous les âges fertiles de la femme se vivent sous le signe de la contraception, hormis quelques années. Il convient probablement de moduler les moyens anticonceptionnels employés selon l'âge de la femme mais également selon bien d'autres critères. Maternités «hâtives» ou maternités «tardives», le nombre d'années de contraception ne sera pas sensiblement différent.

Pour faire bonne mesure et dissuader les plus obstinées, décidées à n'en faire qu'à leur tête (et probablement selon leur cœur et leur porte-monnaie), le rapport ministériel de 1980 signale la montée du tabagisme féminin comme aggravant les risques associés à la prise de la pilule. Une femme médecin a précisé au cours d'un colloque : « Après quarante ans, si elle veut éviter embolie et infarctus, une femme doit choisir entre la pilule et la cigarette. »

Le rapport se termine, à tout hasard, par le rappel d'une étude suédoise qui dit que « ...l'existence d'une action dépressogène des contraceptifs oraux paraît assez bien établie, l'important travail de Culberg montre surtout qu'elle est complexe... ». Bien établie, surtout complexe, cela n'est pas contradictoire, mais un peu floue tout de même.

Le ministère compétent est prévenu : la montée de la mortinatalité, le mongolisme, les affections cardiovasculaires graves telles que les troubles cérébraux et les thromboembolies, les épisodes dépressifs... tous ces risques sont « probables ». En tout cas, il faut s'y attendre si le calendrier des naissances se modifie et si les couples tardent trop pour mettre au monde leur premier enfant. Il faut éviter tout changement de comportements : « Une femme ne se porte bien que si elle est mère, et de préférence avant 25 ans. » Le changement est porteur de troubles inquiétants.

On comprend l'insistance du *Quotidien du médecin* qui reprend les orientations du rapport et les prolonge. « ...Les conséquences médicales des grossesses tardives doivent être mieux connues. A côté des conséquences prouvées le rapport fait état d'autres conséquences probables, conséquences graves pour la santé physique et mentale des femmes, voire sur celle de leur descendance... »

Des travaux français et internationaux, dispersés dans le temps et dans l'espace, ont servi à la confection d'un tableau disparate et surtout négatif de l'évolution de l'état de santé des femmes. Le but avoué est un appel à la mise en œuvre de mesures préventives de la morbidité ou de recherches approfondies sur les facteurs de mortalité des femmes enceintes et des enfants. Il repose en fait sur un préalable sociologique et non pas médical : un recul de quelques mois en moyenne dans la vie des couples mariés qui attendent un peu pour être parents. Le faible écart entre la date du mariage et l'apparition de la première grossesse est plus un phénomène de société qu'une réelle modification des rythmes physiologiques. La médecine peut-elle s'opposer aux évolutions sociales ?

Il y a plus de quarante ans que fut créé le Haut Comité de la Population, c'est sous l'impulsion de ce même Comité que fut rassemblé en 1980 ce groupe de travail sur les « aspects médicaux de la dénatalité ». La baisse de la natalité ne cesse de hanter la conscience politique des pays industriels occidentaux. Le Haut Comité de la Population a vu le jour sous le gouvernement Daladier à la suite d'un « sursaut de la conscience nationale ». Le sénateur Georges Pernot qui fut très actif au Conseil supérieur de la natalité insistait pour conjurer « la crise de dénatalité qui met en péril les intérêts vitaux de la nation ».

Un rapport au président de la République avait à l'époque utilisé la même méthode d'amalgame chiffré pour traduire « l'inquiétante situation du pays ». Il disait en substance : « ...Il y a un demi-siècle la France enregistrait plus d'un million de naissances nouvelles ; depuis quelques années ce chiffre s'est abaissé à environ 600 000 par an ; la natalité qui était de 35 naissances pour mille habitants est tombée à 14 pour mille, soit une réduction de plus de la moitié en cinquante ans. La chute de la natalité est devenue telle que, depuis 1935, le nombre des décès l'emporte sur celui des naissances ; chaque année la France perd environ 35 000 Français. La France, naguère première puissance européenne par l'importance de sa population, est passée au cinquième rang si l'on considère le total de ses ressortissants européens, et à un rang inférieur si l'on s'attache à la densité du pays... »

En fait, ce sont les femmes nées vers 1825 et non pas en 1900 pour qui on a enregistré 3,4 enfants vivants, aucune génération de femmes nées après la guerre de 1870 n'a eu plus de 2,7 enfants en moyenne. La manipulation politique des chiffres et les raccourcis saisissants sont toujours de mode et continuent de faire leur effet[1]. La proportion de la population européenne est en constant recul devant l'évolution démographique des pays moins avancés industriellement, mais en deux siècles la population française a quand même augmenté de 75 %.

A travers l'action du Haut Comité de la Population, les pouvoirs publics vont tenter de mettre en œuvre une politique de gestion des potentialités de la fertilité des femmes. De nos jours l'équilibre démographique nécessaire à la force politique de la nation est un thème qui émerge peu dans les médias mais progressivement et parallèlement à la diffusion de la contraception féminine, c'est la qualité de l'enfant à venir et l'équilibre physique et psychique des mères qui envahissent les discours pour... « mieux maîtriser et infléchir les évolutions qui se dessinent ». L'âge de la mère est un des éléments retenus.

La « majorité maternelle », le bon âge pour enfanter apparaît dans les textes de loi du décret du 29 juillet 1939, relatif à la famille et à la natalité françaises, plus connu sous le nom du Code de la famille.

Au cours des débats précédant sa mise au point, on parle

1. L'indice de fécondité cité par les médias est le résultat d'un calcul assez compliqué portant sur le nombre de femmes fécondables et le nombre de leurs enfants. Il s'avère qu'au-dessous d'un taux de fécondité de 2, les générations ne se renouvellent pas et l'équilibre des âges est rompu, « la France vieillit ». Le taux français actuel est de 1,84.

de l'injustice résultant de l'inégalité des niveaux de vie provoquée par l'inégalité des dimensions de la famille. Afin d'encourager la natalité, on définit des critères de ressources, de nombre d'enfants, de situation matrimoniale des mères et des âges des femmes... pour décider du montant des différentes attributions en espèces. Ces sommes seront versées par l'intermédiaire des Allocations familiales qui sont chargées de contrôler que ces principes sont bien observés.

Les différentes primes récompensent le mariage et la maternité relativement précoces dans l'âge de la femme, sa présence au foyer dans les premiers temps du mariage et pendant les années de « jeunesse » de la femme, et une discontinuité de la vie de travail par un (ou des) arrêt qui suit de près la période d'apprentissage.

Une allocation de salaire unique aux jeunes ménages sans enfants est prévue par la loi du 1er novembre 1941 pendant les deux premières années du mariage, cette allocation de salaire unique prend une place très importante dans l'ensemble des allocations puisqu'elle représente plus de la moitié des prestations en 1943. Marions-les d'abord. Le système de prime n'est maintenu que si le premier enfant du couple apparaît avant la fin d'une période probatoire de deux ans, le deuxième enfant doit apparaître dans un délai de trois ans.

On voit ainsi se dessiner le cadre de la « bonne maternité », celle qui respecte l'institution du mariage, celle qui apparaît proche de la date du mariage, celle qui est précoce dans vie de la femme, celle qui est resserrée en une séquence de vie féconde étroite, celle qui vous éloigne du marché du travail à peine terminée l'expérience du premier emploi.

La proximité de la date du mariage et de la date de la première naissance reste préconisée lorsque les prestations familiales sont réorganisées après la guerre de 1939-1945.

On attribue une prime à la naissance du premier enfant de nationalité française et né viable, mais cette prime n'est accordée que si la naissance survient en France dans les deux ans qui suivent la célébration du mariage. L'encouragement à respecter de faibles écarts d'âge entre les enfants est explicite, George Bidault dépose un projet dès la deuxième Assemblée nationale constituante le 11 juillet 1946, qui prévoit le versement de primes dès lors que les naissances surviennent soit dans les deux années qui suivent la célébration du mariage, soit dans les trois ans qui suivent chaque accouchement pour les naissances successives.

Le chiffre symbolique de l'âge des catherinettes devient officiellement une limite et un critère de « majorité maternelle » à la suite d'une controverse moralisante entre le Haut Comité de la Population et une minorité de l'Assemblée. Un premier texte proposé aurait pu être interprété comme un encouragement à l'illégitimité des naissances, car dans le cas de naissance illégitime, faute de repère par rapport au mariage, il suffisait que la mère n'ait pas dépassé l'âge de ving-cinq ans pour pouvoir prétendre à l'allocation. La volonté nataliste l'emporta sur la morale et toutes les mères furent encouragées selon les préceptes du professeur Pinard... « autant que possible avant l'âge de 25 ans ».

Après la guerre, le mariage est furieusement à la mode, la proportion des personnes qui finissent par se marier est de l'ordre de 90 %, les naissances illégitimes sont en proportion moindres qu'aujourd'hui. Mais enfin, comment ne pas étendre l'effort de redistribution sociale aux filles mères ? La Commission de la famille et de la population fit remarquer que la formulation de la mesure attribuant une prime à une naissance illégitime à la seule condition qu'elle survienne avant le vingt-cinquième anniversaire de la mère pouvait avoir des conséquences incohérentes puisqu'une prime pouvait être accordée à une femme de moins de 25 ans vivant maritalement depuis plusieurs années et refusée à une femme légitime qui aurait conçu son enfant plus de deux ans après son mariage, même si à cette date elle avait moins de 25 ans. La prime fut donc attribuée à toutes les naissances d'un premier enfant, qu'il ait été conçu légitimement ou non, mais à la condition que la naissance survienne avant que la mère ait 25 ans. Au nom de la logique et de la justice sociale, il fallut s'incliner. Ce critère d'âge de la femme fut étendu à toute naissance, il est resté une limite codifiée et reconnue pendant plus de trente ans : jusqu'à la réforme des prestations en 1975.

On peut se demander pourquoi une fécondité relativement précoce dans la vie de la femme a toujours semblé de bon augure aux yeux des hommes politiques « natalistes ». Il semble que ce penchant ait été alimenté par une illusion persistante des démographes et qu'elle ait pris ses sources dans l'observation de pratiques qui s'atténuent peu à peu de nos jours avec la disparition des grandes familles.

Adolphe Landry, qui présidait en 1939 le premier Conseil supérieur de la natalité, était un démographe averti qui avait pu constater qu'une part relativement réduite de la population fournissait à elle seule la part la plus importante de la production d'enfants. Les familles nombreuses de quatre, cinq ou six enfants et plus se rencontraient aux deux extrêmes de l'échelle sociale. Bien évidemment, les familles de condition modeste étant moins rares que les familles de haut niveau, c'est surtout dans ce que nous nommons pudiquement les couches défavorisées que se faisait le renouvellement de la population. Dans les années trente, dans les couches moyennes, la réduction de la taille de la famille s'était déjà généralisée et dès les années cinquante les filles de la bourgeoisie adoptent des comportements malthusiens et réduisent le nombre de leurs enfants.

C'est dans les familles de condition modeste que les

jeunes filles se marient encore de nos jours un peu plus jeunes que dans l'ensemble de la population. Mariage précoce et maternité hâtive pour le premier enfant restent encore le lot des filles faiblement scolarisées et mal préparées à la professionnalisation. Mais rien ne permet de penser que la taille finale de leur famille sera plus grande, ainsi que par le passé. Pourtant l'idée est restée ancrée dans les habitudes de pensée : à la maternité précoce devrait correspondre une fécondité plus forte.

18

EN QUÊTE DE L'OPINION

Les journaux spécialisés qui se font une clientèle de jeunes ou de femmes brodent à longueur d'année sur quelques thèmes bien féminins : les projets d'avenir des filles, le nombre d'enfants que chacune escompte avoir plus tard, les enfants dans la fratrie et la différence d'âge... De temps en temps, une enquête auprès des lectrices donne la température et retransmet la bonne image. L'« idéal » des femmes.

Les démographes se préoccupent également de l'évolution des mentalités sur ces sujets, le département de psychosociologie de l'Institut national d'études démographiques effectue pour sa part des sondages à dates régulières sur les attitudes du public à l'égard de la natalité depuis 1947 ; on peut ainsi comparer et évaluer les modifications qui se font jour.

En matière démographique, le changement se fait toujours lentement et à bas bruit. La dernière enquête d'opinion publiée apporte rarement des révélations spectaculaires, on y trouve plutôt le reflet banalisé de ce que chacun peut observer autour de soi.

Le lecteur devant la diffusion des résultats dans la presse (ou encore le téléspectateur) cherche dans ce miroir sa propre image plus ou moins déformée : « Suis-je sembable ou différent ? Un peu, beaucoup, passionnément ? » Chacun se souhaite à la fois conforme et quelque peu original. S'il est un peu vexant de se voir rejoindre la cohorte la plus nombreuse, il est rassurant de pouvoir vérifier qu'en se ralliant au plus grand nombre on a l'opinion la plus « normale ». Les mauvais élèves sont en bas de la colonne avec les petits pourcentages. Ce sont des minoritaires, presque des exclus.

La méthode employée pour sonder l'opinion à l'aide de questionnaires succincts induit souvent les réponses des enquêtés. Les demandes sont formulées dans des termes qui semblent n'engager personne. Par exemple : « Quel est l'âge idéal ? » L'idéal est une idée bien abstraite qu'il faut convertir en chiffres précis pour pouvoir établir une classification. Mais si la personne interrogée avance un chiffre, elle gomme toute la complexité des problèmes évoqués par la notion d'âge. En général, l'enquêté répond avec bon sens : « Ça dépend ! » Il espère rejoindre ainsi le gros de la troupe et ne pas se compromettre par une réponse hasardeuse car en dehors du noyau dur des réponses banales, le vent souffle, et autant rester à l'abri et proche de ce qui vous paraît conforme à ce que l'enquêteur attend de vous. Devant l'insistance de l'enquêteur qui espère un chiffre, on accorde généralement un âge qui engage peu personnellement la personne interrogée mais qui par contre lui semble engager le plus grand nombre. L'« âge idéal », c'est celui des autres.

Nous avons nous aussi proposé le miroir du sondage d'opinion à des femmes en leur demandant : « Quel est l'âge idéal pour une mère au moment de la naissance de son premier enfant ? » Dans un premier temps, nous nous sommes heurtées au « Ça dépend ! » de toute enquêtée de bonne volonté. Lorsque nous avons insisté à notre tour, nous avons recueilli une abondante moisson de : « Quand la mère est jeune ! »

Toutes les femmes se rallient à cette image, c'est quand elle est «jeune» qu'une mère se rapproche le plus de la bonne conduite maternelle. Pour le bien de l'enfant, il faut que la mère soit «jeune». L'idéal se situe entre 22 et 26 ans. Moins de 2 % des réponses de nos enquêtées dépassaient le chiffre de 26 ans ! L'enfantement des femmes est clairement limité dans le temps pour nos contemporaines.

Ces limites d'âge une fois données, il s'avère qu'il y a toujours un petit décalage entre la vie telle qu'elle est vécue et l'idée abstraite que l'on s'en fait. L'«idéal d'âge» est toujours un petit peu plus tardif pour les jeunes femmes que l'âge qu'elles avaient effectivement le jour de la naissance de leur premier-né. La jeune maman de 20 ans estimait que 22 ans, c'était bien assez «idéal» après tout, et la jeune maman de 24 ans aurait volontiers attendu jusqu'à 26 ans une fois expérience et réflexion faites...

La barrière des 26 ans ne concerne que les femmes car lorsque nous avons cherché à savoir quel était l'«idéal d'âge» pour les hommes il est parfaitement clair qu'ils ignorent tout de Sainte-Catherine et de ses préceptes et que pour eux il n'y a pas de limite extrême pour engendrer : trente... quarante... et même plus... Ces âges semblent tout à fait convenables pour être papa. La rigueur de l'enfermement dans le temps, c'est pour la mère, c'est elle qui doit être «jeune».

En conclusion de notre enquête d'opinion, les réponses sur l'âge idéal des femmes pour enfanter nous ont donc renvoyées à ce que nous connaissions par la lecture des statistiques. Il y a une représentation collective de la bonne mère : à la naissance de son enfant, elle doit être «jeune».

Lorsque les femmes presque unanimement donnent ainsi un âge plus précoce que celui qu'elles auraient aimé vivre elles-mêmes, c'est d'abord dans la crainte de nuire à l'enfant qu'elles portent. Si elles remettent si peu en cause le temps qui leur est désigné comme le plus favorable, c'est qu'elles sont éperdues de bonne volonté et qu'elles espèrent éliminer tout « risque » qui léserait l'enfant.

Le milieu médical lui-même mesure l'absurdité de cette vaine recherche de la garantie maximale. Un médecin-accoucheur protestait contre la pathologisation de la grossesse et de l'accouchement en écrivant dans *Le Monde* en 1980 : « On peut inclure dans le cadre élastique des "grossesses à risques" jusqu'à 80 % des grossesses, sans être pourtant assuré qu'aucune pathologie ne puisse survenir dans les 20 % présumées sans risques. » Une médicalisation exagérée de l'enfantement ne peut que renforcer la pression qui s'exerce sur l'organisation du temps de vie des femmes, mais ne fait que dresser une barrière fantomatique contre le malheur ou la souffrance. Donner la vie est un engagement aventureux, c'est un acte qui porte en lui de « hauts risques », quand bien même on sacrifierait sur l'autel de Sainte-Catherine dans l'espoir insensé d'avoir un bébé parfait.

Menacée de-ci et encouragées de-là dès la petite enfance par l'entourage et la famille, les jeunes filles tentent de se faire une raison. Pourquoi dédaigner *a priori* de suivre le droit fil de recettes éprouvées par d'autres avant vous !

O ma mère, ma tendre mère, je voudrais me marier !
Je voudrais me marier comme les autres
Pour avoir filles et garçons
Comme les autres font.
Mais ma fille, ma pauvre fille, comment les nourriras-tu ?
Je les nourrirai, comme les autres,
Du lait de mes blancs tétons
Comme les autres font.
Mais ma fille, ma pauvre fille comment...

Comme les autres font, comme les autres font, comme les autres font...

Rêver sa vie, faire des projets d'avenir... c'est d'abord se reposer sur l'expérience de ceux que l'on aime et qui vous ont précédé : la grand-mère, la mère, la meilleure amie.

Mais comment raisonnait donc grand-mère ? Avait-elle conscience de la nécessité de respecter un calendrier des naissances ? Sans doute ! Mais dans le cadre de ses devoirs de mère et d'épouse. Ce modèle de comportement est bien décrit au détour de la page jaunie d'un roman débordant des poncifs en vogue au début du siècle. Un tel roman fut paradoxalement écrit par une femme et il paraissait presque en même temps que les pamphlets de Paul et Victor Margueritte qui firent scandale après guerre (celle de 14-18 évidemment). Leurs prises de position en faveur d'une certaine émancipation de la femme reflétaient de profonds courants de pensée qui agitaient l'opinion publique. *La Garçonne* de Paul Margueritte fut accueillie comme une œuvre érotique et même pornographique tant elle heurtait les bonnes mœurs. C'est à peu près dans le même temps qu'une femme écrivain affirmait que la vertu souriante de la femme s'épanouit dans le champ clos de son foyer, car là est sa vraie place.

« Roussin était père de trois enfants, il se contentait de son traitement, après avoir écrit une thèse, il était sur la voie des travaux féconds. Roussin gardait la gaîté, l'enthousiasme, l'énergie fraîche des premières années... grâce à Thérèse. Thérèse parlait peu, Thérèse ne comprenait guère les recherches de son mari, mais quel amour sûr et courageux elle montrait ! La façon rapide et décidée dont elle mettait en ordre la petite salle à manger ; les gestes même qu'elle faisait révélaient son énergie, sa méthode. Elle n'avait au monde que le souci de son mari et de ses enfants : veiller sur les petits, ménager à Gustave des possibilités de travail, réaliser des économies afin qu'il n'ait pas à se procurer de ressources supplémentaires. Pour arriver à cela, quelle ingéniosité souriante dans les travaux d'aiguille, quelle intelligence pratique et gaie, déployée dans les organisations intérieures[1]. »

Que reste-il de cet archétype de la féminité : confinement dans le cercle conjugal et maternel où les aptitudes ménagères sont mises en valeur, où l'économie occupe une place primordiale et où les travaux d'aiguille exercés au foyer sont une des rares possibilités de compléter le salaire du mari, grâce à la machine à coudre. Nous en sommes aujourd'hui bien éloignés. Écoutons attentivement ce que nous dit Sophie, maman « tardive », pour mesurer tout le chemin parcouru. Pourtant Sophie vit dans un milieu comparable à celui-là même où Thérèse se taisait en s'effaçant derrière son époux et protégeait sa carrière sans rien y comprendre. Thérèse était absorbée par les travaux féconds « des organisations intérieures », Sophie gagne un salaire assez confortable mais ni trop ni trop peu. C'est la même classe moyenne en somme, un demi-siècle plus tard.

Sophie est lucide et courageuse, elle dit d'elle-même : « Je suis une battante, j'ai une santé exceptionnelle... j'aime mon métier... » Elle aurait pu ajouter, ce qui est évident à l'entendre : « Malgré les difficultés, ou plutôt avec ces difficultés, j'aime... la vie... »

« Je me suis trouvée à trente ans sans enfants, ça commençait à compter quand même, trente ans ? C'était encore pas tragique, mais... Je dois dire qu'à partir de trente-cinq ans, je me suis rendu compte que mon équilibre personnel, ma sécurité professionnelle me permettaient de faire un enfant moi-même, toute seule. Je n'ai cependant jamais envisagé d'être mère célibataire, de délibérément me faire faire un enfant pour l'élever seule, je pense que pour l'enfant c'est pas le rêve, et ... moi j'ai horreur de vivre seule... donc je

1. Camille Marbot, *La statue voilée*, Arthème Fayard et Cie éd., 1913.

vivrai de toute façon avec un homme, donc ma fille aura de toute façon un père, soit son vrai, soit son faux... De toute façon les hommes que je peux aimer sont des gens qui lui feront forcément bon accueil, parce qu'ils aimeront dans le même lot et la mère et la fille ou rien du tout. J'ai connu le sexe de mon enfant dès le quatrième mois de ma grossesse par une amniocentèse, j'avais fait tous les examens, c'est moi qui les ai demandés à mon médecin.

« Quand j'ai pris conscience qu'il y avait une limite d'âge puisque j'étais vraiment décidée à faire un enfant, je n'avais plus aucune raison d'hésiter. Avant, le désir d'enfant existait, mais il était si fortement contrecarré par la peur de la responsabilité de l'engagement irréversible qu'il représentait, que je ne pouvais pas passer à l'acte. Je me sentais incapable de consacrer à un enfant le temps, l'énergie, l'attention qu'il demanderait. Longtemps je ne me suis pas sentie disponible. Et puis c'est venu, je me suis sentie solide, adulte, j'ai eu envie de plonger. L'homme avec lequel j'étais me semblait un coproducteur, et bien qu'il ne fût pas du tout d'accord, je me suis dit : " Bon, là, maintenant, y a pas de doute, c'est le moment. " Pas le moment idéal de la norme proposée par la coutume, la famille, le regard des autres, l'éducation, les contingences économiques, etc. Non, c'était mon moment à moi. Le moment de ma croissance personnelle qui faisait que l'acte était rendu possible. Ça coïncidait avec une certaine réalisation professionnelle aussi. Je trouvais un équilibre entre mes ambitions et mes projets, je me sentais assez sûre de moi et mon besoin d'enfant prenait tout naturellement place dans ma vie comme un projet réalisable.

« Au fond, bien que je n'aie jamais envisagé d'élever un enfant sans père, je n'ai été capable de faire un enfant que quand économiquement j'ai pu l'assumer seule. Si je réfléchis un peu plus loin, je me demande si l'un des obstacles à la réalisation de mon désir d'enfant n'a pas été longtemps la peur d'être par l'enfant irréversiblement associée à un homme. »

Sophie est une mère tardive exemplaire d'un mode de vie contemporain, que connaissent certaines femmes, mais peut-on l'opposer absolument à une autre maman rencontrée : Brigitte, dont toute l'organisation de vie est centrée sur sa petite fille tôt venue dans sa vie, sur son jeune mari et sur le petit appartement à entretenir ? En fait, la plupart des femmes ont les difficultés et les joies et de l'une et de l'autre. Brigitte et Sophie se côtoient à une époque où tout a changé si vite ! Et puis le passé de chacune d'elles n'est pas le même ; rester à la maison et échapper au monde du travail pour quelques années est parfois la seule conquête possible lorsque les origines sociales sont très modestes et la vie de salariée pénible et sans issue.

Il semble qu'il n'y ait pourtant pas une grande distance pour aller de chez Sophie, celle qui habite le 5e arrondissement de Paris avec celui qui « aime dans le même lot et la mère et la fille » jusqu'au F3 de la cité Gagarine, chez Brigitte, jeune mariée qui était mère à 19 ans. A quelques stations de métro, nous voilà confrontés à deux organisations du temps de vie qui sont aux antipodes.

« Quand ma fille est née et que je me suis vue avec ça dans les bras, ah ! c'était un tel bonheur, c'était à moi, bien à moi. Je me suis dit : “ Bon, te v'là une grande personne maintenant, et puis il va falloir s'en occuper. ” On a décidé que j'allais m'arrêter de travailler, au moins un peu pour l'élever moi-même... Avant, je faisais des sacs en plastique, dans une petite usine, c'est assez dur, oui, enfin !... Il y avait les copines et parfois on riait bien, mais maintenant elles sont mariées pour la plupart. Dans ma famille ma sœur s'est mariée la première, elle a déjà deux gosses, mais moi... on verra après si on... »

On verra après si... si « on y arrive », on verra après si

mon mari... on verra après si je trouve un travail pas trop loin... si... si...

Un réel fossé s'est creusé entre Sophie et Brigitte. De la maternité « hâtive » vécue avant la fin du premier tiers de la vie fertile et qui suffit à elle seule à vous faire entrer de plain-pied dans la maturité adulte (tout en vous livrant désarmée à des si... si... si...) à la maternité « tardive » qui vient parachever un épanouissement qui n'est ressenti qu'au prix d'une réelle autonomie professionnelle et économique.

19

QUE VEULENT-ELLES, CES MÈRES TARDIVES ?

Ces mères tardives qui sont-elles ? Leur trace s'amenuise dans les courbes des statistiques générales des années passées[1], nous en avons pourtant rencontré beaucoup et le récit de l'expérience de chacune d'elles était si attachant que nous aurions aimé vous les présenter toutes. Bien des événements fortuits ou imprévisibles ont pesé sur leur vie personnelle, mais il semble qu'elles aient en commun d'avoir utilisé plus que d'autres une certaine marge de liberté individuelle. Ce sont des femmes « actives » qui prennent la vie à bras-le-corps. Toutes ces mères ayant dépassé la trentaine ou la quarantaine ont dû surmonter la crainte bien légitime du franc-tireur qui se risque aux avant-postes sur un terrain réputé miné et dangereux. Elles sont allées à contre-courant de ce mouvement général d'enfermement du temps fertile des femmes qui n'a jamais été aussi rigide qu'aujourd'hui. Il a fallu souvent se faire excuser (sinon pardonner) un tel

1. La fécondité à 35 ans et au-delà représentait 12,1 % de la fécondité du moment en 1970 et seulement 8,1 % en 1980.

désir d'enfant. La maternité est consentie aux femmes à la condition d'être limitée à un nombre « raisonnable », et c'est souvent au nom du « trop peu » qu'une femme justifie sa maternité déplacée.

La maternité tardive exige de la détermination et de la lucidité, les femmes ont une conscience affirmée des devoirs auxquels elles auront à faire face et elles savent jusqu'à quel point elles peuvent compter sur elles-mêmes. La maternité de la maturité est plus prévenue et critique que celle qui rallie les pratiques qui sont dans l'air du temps et évite de remettre en question les modèles de comportement qui sont proposés aux femmes. La grossesse tardive qui intervient souvent après de longues années de contraception et qui est l'objet de critiques latentes exige de la détermination. Elle est délibérée, voulue et parfois désespérément recherchée dans le cas des stérilités involontaires.

Au cours des dix dernières années, la contraception féminine a encouragé la majorité des femmes à rejoindre un certain modèle de comportement qui consiste à concentrer l'ensemble des naissances dans les quelques années qui suivent immédiatement le mariage, et les mères tardives s'éloignent délibérément de cette image contemporaine de la « bonne mère ». Lorsqu'elles ont été enceintes, il leur a été fait un accueil plutôt réservé, elles se sont trouvées face à une réprobation diffuse et pour le moins à des réticences affectueuses de la part de leurs proches. Était-il bien nécessaire et raisonnable de prendre un enfant en charge à un moment de la vie où les femmes sont autorisées à ne plus le faire ? Quel serait l'avenir de cet enfant dont la mère serait plus âgée que celle des petits camarades ? La mère tiendrait-elle « le coup » dans dix ans quand viendraient la fatigue et l'usure ? Ces questions, elles ont eu neuf mois pour se les poser à elles-même et elles ont rencontré plus d'une fée Carabosse prédisant le pire. La médecine et son cortège de « hauts risques » ne font que concrétiser et retransmettre un blâme général sous-jacent, insidieux et pesant.

Ce blâme qui stigmatise les conduites marginales s'accompagne de menaces dont il est bien difficile de faire fi, chaque mère veut l'impossible en faveur de l'enfant qu'elle porte. Les mères tardives ont tout entendu et tenté de ne pas trop écouter.

Toutes ces femmes, sans exception (mais selon des modalités plus ou moins difficiles à vivre), sont entrées dans un cercle de surprotection et de surveillance médicale attentive une fois l'enfant conçu. Il ne leur a pas été commode de faire la part des effets bénéfiques et des effets débilitants de cet encadrement du «haut risque». Mais l'aide médicale a été décisive pour certaines mères qui se caractérisent par un lourd passé de souffrances gynécologiques et qui ont poursuivi pendant fort longtemps une quête extrêmement pénible. Celles-là ont erré d'une salle d'attente à l'autre, du médecin de quartier, confident des premières espérances, au médecin réputé dont on attend l'improbable miracle. Elles connaissent pour les avoir pratiqués tous les méandres des filières médicales et ont établi une classification subtile des services hospitaliers réputés et des chefs de service de grand renom. Les bonnes et les moins bonnes adresses se transmettent de femme à femme pendant les attentes interminables auxquelles toute «patiente» est inévitablement soumise. Elles ont obstinément refusé d'abandonner la lutte contre la stérilité ou la maladie en espérant gagner le bon combat avant que le temps n'oppose un barrage tout à fait insurmontable à leur désir d'enfant. Ces vétérans ont souvent conquis leur maternité de haute lutte et portent bien des cicatrices physiques et morales. Elles se sont acheminées vers la victoire contre le mauvais sort, d'échec en échec, d'examen en examen, d'opération en opération... et sans le secours de la science elles étaient condamnées à ne jamais bercer ce petit, chair de leur chair, dont elles on si longuement rêvé. Ces rescapées de la stérilité ont assimilé le langage abscons du monde médical et sont incollables sur la pathologie de la grossesse et de l'accouchement. Elles sont devenues les collaboratrices actives et compétentes des spécialistes avec qui elles ont formé une équipe soudée jusqu'à la victoire finale. Elles qui semblaient condamnées sont parvenues sur le tard à mener à bien leur grossesse après de multiples échecs antérieurs, elles ont dû faire preuve de courage physique et de ressources morales, elles étaient guidées par une véritable passion greffée sur l'inépuisable capacité de donner, dont les femmes savent faire preuve envers leurs enfants. Mal servies par la nature, elles ont su mettre de leur côté tout ce que la science pouvait leur offrir. Elles ont su combler la distance établie entre la médecine et le patient, entre la femme diminuée dans son corps et l'homme fort du pouvoir que confère la connaissance ; la distance qui sépare celle qui souffre de celui qui soigne. Mais ce n'est pas dû au hasard, il faut souligner ici la place de tout premier plan du bon niveau de scolarité, il permet de surmonter des handicaps qui ne sont pas d'ordre professionnel ou économique, mais plus précisément culturel. Poursuivre des études et pratiquer un métier rendent les femmes plus aptes à s'emparer de l'innovation et du progrès technique dans un domaine qui pourrait paraître bien éloigné des connaissances qu'elles ont acquises.

Depuis quelques années, l'amniocentèse, qui permet de déceler *in utero* le plus grand nombre des anomalies chromosomiques liées à l'âge maternel, est de plus en plus demandée. Les laboratoires équipés pour cet examen sont encore peu nombreux et il faut parfois vaincre les résistances du médecin traitant qui hésite à le prescrire. Néanmoins le nombre des examens a presque quintuplé en cinq ans, mais ils restent limités à une minorité de femmes fortement sélectionnées. Une étude portant sur l'ensemble des amniocentèses d'âge pratiquées entre 1975 et 1980, sur des femmes ayant au moins 38 ans et plus au moment de la ponction, révèle que ce sont d'abord des épouses de cadres supérieurs ou moyens qui ont bénéficié de cet examen à ce jour[1]. Les femmes les plus aisées et les plus instruites ont été les premières à se soumettre à un examen dont les frais sont pris en charge par la Sécurité sociale dans des conditions identiques pour toutes.

Rythmes de vie et budget-temps

En France, en 1980, plus de 9 millions de femmes ajustent tant bien que mal le rythme de leur vie familiale à la cadence imposée par le monde du travail. La symbiose entre ce rythme et le rôle de mère ne va pas sans peine. Salariée ou mère, ces deux fonctions restent présentées comme concurrentes. Il faudrait pouvoir consacrer tout son temps ou à l'une ou à l'autre. Le pointage industriel des heures calculées d'après la rentabilité des investissements financiers s'est emparé du temps de vie et soumet la matière vivante à la production d'objets, le temps scandé par la montre l'emporte. Il a bien fallu que les femmes s'adaptent et trouvent un difficile équilibre dans l'emploi de leur temps, alors elles ont accumulé les tâches pendant les dix à douze années qui suivent leur mariage, entre 22 et 34 ans. Le temps présenté comme « le plus favorable » pour mettre au monde l'ensemble de ses enfants, pendant qu'on est « jeune ». C'est aussi le temps de l'entrée dans la vie de salariée. Une mère de famille de trois enfants qui exerce une profession est

1. CF. les travaux de M.L. Lamy et H. Leridon de l'I.N.E.D.

occupée pendant plus de dix heures par jour. Cependant les femmes mariées et les jeunes mères de famille cherchent à rester sur le marché du travail et à continuer à occuper leur emploi malgré la fatigue, la dispersion, la surcharge dues à l'accumulation des devoirs à accomplir.

Ce mouvement de progression du salariat féminin a débuté vers 1962. Depuis cette date, les femmes hésitent à « rentrer à la maison » pour se consacrer exclusivement au mari et aux enfants, elles souhaitent souvent poursuivre leur activité salariée et y parviennent en dépit de nombreux obstacles : l'inégal partage des tâches ménagères, le chômage... Ce goût pervers pour le travail rémunéré est accusé d'entraîner mille maux et d'avoir pour origine un refus égoïste de la maternité. Dans les faits, au cours de cette période, les femmes ont tenté de tout concilier en étant à la fois de jeunes mères et de jeunes travailleuses au prix d'années de surmenage et d'une course obsédante contre la montre.

Un regard rétrospectif sur l'évolution du comportement fécond des femmes nous apprend que ce sont les mères « au foyer » qui ont concouru le plus à la baisse globale de la natalité, progressivement elles n'ont eu ni plus ni moins d'enfants que les salariées. Les familles nombreuses ont lentement presque totalement disparu. Les mères qui occupent un emploi ont appris à se battre quotidiennement pour tenter de mettre en harmonie la vie du dehors et la vie privée, et elles sont de plus en plus nombreuses dans ce cas. De 1968 à 1975 la proportion des femmes âgées de 25 à 29 ans qui travaillent en dehors de leur domicile, tout en étant mères d'un tout jeune enfant, est passée de 55,5 % à 66 % de l'ensemble des salariées (soit de la moitié aux deux tiers !). Dans la tranche d'âge suivante, les femmes de 30 à 34 ans et qui sont mères de deux enfants (dont l'un est encore tout petit) se maintiennent si possible à leur poste de travail, leur proportion a également augmenté passant de 31 à 48 % (soit du tiers à la moitié!). Cette persistance à vouloir ainsi gagner sa vie est sans doute bien impérative, car personne ne s'engage à un tel rythme de vie sans de bonnes raisons et de solides arguments.

Puisque la vie de travail se révèle nécessaire et parfois indispensable, autant la vivre pleinement. Chaque femme sait confusément que sa formation professionnelle est constamment menacée. Dès l'enfance, « c'est une fille » dont les ambitions seront refrénées puisqu'elle doit un jour ou l'autre se marier et élever ses enfants et qu'alors son temps ne lui appartiendra plus. C'est pendant que la femme est « jeune » que les choix orientent tout le cycle de vie et que la menace qui pèse sur sa qualification est la plus forte, au cours de cette tranche de vie qui est désignée comme la meilleure pour faire des enfants à moindre risque. A partir des chiffres du recensement de 1975, il a été procédé à une étude de la progression des femmes dans leur carrière. On peut dire que tout se décide entre 22 et 34 ans, selon les métiers. Généralement si une femme n'a pas atteint un certain niveau auquel elle est préparée par son apprentissage avant 30 ans, elle perdra une grande partie de sa formation scolaire et post-scolaire. C'est avant 35 ans que les femmes sont au sommet de leur carrière, c'est-à-dire que c'est vers la fin du premier tiers de leur vie fertile que tout va s'organiser et peser sur l'avenir.

L'accumulation de toutes les fatigues au même moment est-elle nécessaire ? Ce sont les femmes qui sont entraînées à vivre leur vie de travail dans une large perspective qui ont un plan de carrière et visent une ascension hiérarchique probable qui sont les premières à adopter une planification des naissances moins traditionnelle et plus adaptée aux nouvelles conditions du cycle de vie. Cette maternité tardive-là est celle qui ménage un long intervalle entre deux enfants ou qui recule nettement la venue au monde d'un enfant supplémentaire au modèle de deux (c'est le petit troisième tard venu). C'est après la première naissance qu'il a fallu faire le compte de ses forces, céder provisoirement une part des rêves de jeune fille et établir un nouveau calendrier des urgences. Le deuxième (ou le troisième) enfant pouvait attendre un peu... Les femmes, poussées par la nécessité, ont agi intuitivement. Au début de leur vie de ménage, elles auraient tant voulu ne céder sur rien et faire face à tout : finir les études ou occuper un premier emploi et en même temps mettre au monde son premier enfant. S'adapter ici et là sans beaucoup de savoir-faire mais avec une immense bonne volonté et retenir quelques bribes d'adolescence en même temps que le compagnon : lire, sortir le soir avec des amis, voir le dernier film, organiser des dîners dans le petit logement bien à soi, lire le journal quotidien, militer au syndicat, apprendre à mijoter des petits plats et faire du sport, comme avant...

Si elles ne se sont pas autorisé tout de suite le petit second ou le petit troisième, c'est de peur d'avoir à reculer trop loin dans la voie des concessions et d'abandonner des lambeaux de rêve dans l'eau de la vaisselle ou dans le fond du panier à provisions. Elles ont tenu à réaliser leurs espoirs de professionnelles, ceux qu'elles partageaient avec les copains de classe tout en bachotant, ceux qu'elles avaient en commun avec le compagnon ou le jeune mari. Une fois mariées, quand le partage des « arts ménagers » s'est établi selon la recette du fameux pâté : un cheval et une alouette, elles ont songé qu'il était urgent d'attendre un peu avant de faire un petit frère. Elles se sont aperçues qu'elles avaient une nouvelle définition de l'âge « jeune » des femmes à conquérir et elles ont élargi leurs perspectives d'avenir.

La pilule est-elle véritablement l'instrument de la libre autodétermination si elle ne permet que d'imiter artificiellement les pratiques de nos arrière-grand-mères ? Planifier la venue au monde des enfants de trois ans en trois ans, c'est retrouver l'intervalle entre deux naissances des femmes qui étaient inféconds parce qu'elles allaitaient pendant plus d'une année. Les femmes du temps passé mettaient leurs enfants au monde selon ce rythme-là en dehors de tout autre procédé contraceptif. Aujourd'hui, les femmes chargées de transmettre la tradition et de créer des liens avec le passé apportent de nouvelles réponses dans le mouvement général de réorganisation du temps de vie que suggère le monde contemporain.

Plus on descend dans les hiérarchies du monde du travail, moins on rencontre de « maternités tardives » volontaires. Plus le travail est fait de parcelles de temps toutes semblables, plus il est monotone et répétitif, sans but et sans amélioration possible, et moins les femmes envisagent leur avenir avec assez d'optimisme pour oser remettre à un peu plus tard la venue au monde d'un enfant supplémentaire. Le sentiment de l'usure physique est plus pesant et plus profondément ressenti comme inéluctable pour celles qui ont commencé jeunes à travailler dans des conditions pénibles. Avoir ses enfants pendant qu'on est « jeune » est alors une évidence. L'idée de jeunesse est plus fugace et fragile (au moins dans les consciences) et être mère c'est d'abord assurer chaque jour une certaine somme de travail, il vaut mieux avoir ses enfants « pendant qu'on a des forces ».

Par contre, les femmes qui reculent le cloisonnement de l'idée de jeunesse ont vécu une période adolescente plus prolongée, elles songent à entretenir leur forme physique et saisissent toutes les occasions qui leur sont données de faire de la « formation permanente ». Ces « professionnelles » enrichissent leur vie de mère de l'expérience du monde du travail. Parce que leur vie de travail leur apporte aussi des occasions d'élargir leur horizon.

Ces actives, qui se chargent d'un enfant supplémentaire

après le temps « prescrit », apportent le soir au foyer avec les fatigues et les soucis du bureau l'air du grand large des luttes sociales, le réseau amical des collègues, l'expérience d'un milieu qu'elles mettront à la disposition de leurs enfants. Et dans le meilleur des cas elles offrent l'image du contentement de soi et d'une meilleure emprise sur la vie qui vient avec la compétence professionnelle. Bousculant les barrières de temps, ces femmes affichent ostensiblement une sexualité épanouie passé la trentaine ou la quarantaine. Leur grossesse est « active » à l'image de toute leur vie. Ces femmes qui ont été conduites à consolider le terrain professionnel avant de se fixer de nouvelles charges au foyer sont rarement des primipares « âgées », ce sont des mères de famille qui ajoutent un enfant supplémentaire à leur bonheur de vivre lorsqu'elles estiment cela encore possible.

La vie n'est pas souvent si clémente, les mères « tardives » sont parfois des femmes qui ont vécu de difficiles ruptures, après des années interminables vécues dans un premier mariage malheureux. Leur premier enfant, et même le second, n'ont été d'aucun secours contre la mésentente et leur couple s'est défait. Passé quelques années, le goût de revivre et l'espoir de rebâtir sont à l'origine de la venue au monde de l'enfant de divorcés remariés, dont le nombre ne va cesser de croître parallèlement à la montée des ruptures d'unions[1].

Ce premier enfant d'un nouveau couple lorsque la mère a tardivement trouvé un nouveau bonheur a déjà une sœur du côté de papa ou un frère du côté de maman, qu'importe ! c'est le petit dernier, chéri de tous.

1. La proportion de divorces pour 1 000 mariages s'élève à 105 en 1956, à 95 en 1963, à 120 en 1970, à 204 en 1977, à 242 en 1979... Alors que dans les années cinquante un mariage sur dix se terminait par un divorce, on est en train de passer à la fréquence d'un divorce sur quatre mariages. Plus les femmes sont jeunes et gagnent leur vie et plus la probabilité d'un remariage est forte, même dans le cas où elles sont déjà mères d'un (ou deux) enfant.

Enfin, nous évoquons un dernier type de mères « tardives ». Ce sont celles qui ont tenté de mener le plus loin possible leur apprentissage de la liberté. De peur de céder et de s'aliéner, elles avaient jusque-là refusé et le mariage et l'enfant. Elles n'ont pas pour autant vécu seules, mais elles n'ont voulu dépendre que d'elles-mêmes. Partager la charge d'un enfant, pourquoi pas si c'est pour le choyer, l'éduquer et... partager les frais. Mais surtout ne pas se mettre dans une situation de dépendance vis-à-vis du père, dépendance justifiée par la seule existence de cet enfant.

Pour être libre, il fallait d'abord être certaine de pouvoir gagner sa vie et le cas échéant celle de l'enfant. Le gagne-pain a occupé toute la place et le temps a passé insensiblement. Un jour, l'idée de l'âge s'est imposée à elles comme un impératif, une limite à ne pas dépasser. Il fallait donc se décider car il était temps. Faire un enfant auquel elles avaient si souvent pensé, pourquoi pas maintenant qu'elles se sentaient capables de compter sur elles-mêmes et sur leurs seules ressources... enfin presque, le père de l'enfant n'était jamais bien loin.

Elles semblent aujourd'hui des mères solides au poste, actives et décidées dans tout ce qu'elles entreprennent. Elles avaient relégué leur désir d'enfant dans un petit coin de la mémoire jusqu'à une prise de décision longuement mûrie. A ce moment, rien n'a pu les dissuader.

L'enfant de ces volontaires d'une maternité active et libérée des enfermements dans un certain âge de la femme marque un apogée de leur histoire de vie. Ce grand bonheur fait bon ménage avec d'autres et l'enfant ainsi conçu ne justifie pas à lui seul toute leur existence, il trouve sa juste place dans un ensemble de projets, de créations, de luttes...

Autres temps, autres maternités.

Ces enfants « tard venus » seront les témoins de nouveaux partages et de nouveaux échanges entre Monsieur-Madameet-Bébé. Ils en seront sans doute différents, mais dans quel domaine et à quel titre ? Qui peut le savoir ?

Ce sont ces enfants qui répondront eux-mêmes à nos interrogations lorsqu'ils compléteront les témoignages de toutes ces mamans tardives que nous avons connues.

EN GUISE DE CONCLUSION A TROIS

UN NOUVEL ITINÉRAIRE

Que conclure de notre travail si ce n'est qu'il devrait inciter les femmes à prendre une part active dans une réflexion sur les «âges de la vie» qu'elles vont adopter pour être mères. Elles n'ont pas à se laisser enfermer dans un carcan selon lequel «il faut», ou du moins «il est souhaitable de» faire ses enfants avant «qu'il soit trop tard», avant que d'être traitée de «primipare âgée», de mère «tardive».

Les lieux où s'élaborent les «bonnes règles», nous les avons explorés, les mentors, nous les avons entendus prétendre mieux savoir que les femmes elles-mêmes ce qui est bon pour elles. Le Religieux, le Médecin, le Juriste estiment, soupèsent, argumentent. Le discours médical reproduit, amplifié, déformé enferme les femmes dans des prescriptions. Les médecins rencontrés nous ont souvent fait part de l'étendue de leurs ignorances et, pourtant, beaucoup s'obstinent à préconiser des limites contraignantes, répondant souvent à des critères de morale tout à fait personnels. L'un refuse l'amniocentèse parce qu'il estime la femme encore «jeune», ou parce qu'elle la demande pour connaître le sexe de l'enfant qu'elle attend. L'autre refusera l'insémination artificielle si la femme a plus de 35 ans sous prétexte de baisse de la fécondabilité, alors qu'il n'y a pas d'observations faites à partir d'éléments scientifiques dûment contrôlés et en nombre suffisant qui permettent d'établir avec certitude l'âge auquel la femme serait moins féconde. Pour qu'une telle étude soit valable, la maternité n'étant pas la seule affaire des gynécologues et des généticiens, de nombreux paramètres devraient être pris en compte, tels que la façon dont se déroule l'acte sexuel, le désir de grossesse chez la femme et chez son partenaire, la situation économique...

Tout ce que l'on peut avancer, c'est bien évidemment que si l'on souhaite avoir plusieurs enfants, l'écart entre les naissances doit être dûment calculé, tandis qu'une mère plus jeune aura plus de temps pour décider de la venue des enfants suivant le premier. On aura également plus de chance de voir grandir petits-enfants et même arrière-petits-enfants. Mais c'est aux femmes de débattre du calendrier de la vie privée et en des termes nouveaux.

Le temps consacré au travail fait l'objet de discussions au grand jour. Dans la presse écrite et parlée, il n'est question que d'aménagement des horaires de la journée de travail, de l'année de travail et des vacances qui viennent en récompense, de la carrière, dont l'ancienneté débouche sur la retraite. L'État, le patronat, les syndicats multiplient les tables rondes, les commissions ministérielles, les grèves, les conventions collectives... bref un discours ponctué de vigoureuses luttes sociales organise le parcours de la vie professionnelle.

Mais qu'en est-il du temps de la vie privée ? A son sujet, il n'y a pas d'affrontements sociaux apparents. Pourtant, il y a un temps pour se marier, un temps pour faire un premier ou un dernier enfant... et les femmes qui souhaitent sortir des normes traditionnelles sont souvent isolées, si elles ne participent pas à la réflexion qui s'élabore dans les groupes féministes. L'une d'elles nous disait : « Je mène une lutte à la maison comme celles que peuvent mener des ouvrières contre leur patron, à la seule différence que c'est plus dur parce que j'aime mon patron. »

Pour prendre en main leur destinée, les femmes doivent chercher à se former et à s'informer, chaque jour davantage. Plus elles seront exigeantes en matière d'information scientifique, plus elles susciteront la recherche qui les libérera. Il leur faut lutter contre la peur : la peur devant celui qui est censé détenir le savoir, peur du médecin face à son difficile métier, peur de manquer sa chance aujourd'hui au profit d'un demain aléatoire, peur de prendre la mauvaise décision.

Choisir les moments de notre vie où nous pouvons avoir un enfant, c'est envisager lucidement l'ensemble de nos activités, situer l'enfant dans un parcours élargi, du fait même des progrès de la science et de l'allongement de l'espérance de vie. C'est lutter contre les enfermements, ne pas accepter que soit plus particulièrement valorisé l'âge « jeune adulte ». Une mère pour son enfant n'est ni « jeune » ni « vieille », selon nos critères. C'est un être adulte qui assume la responsabilité d'un petit être humain qui a besoin d'elle. Que l'on ait 20 ans ou 40 ans, là n'est pas la question. Ce qui importe, c'est l'ardeur à vivre dans le contemporain.

Les femmes que nous avons rencontrées et qui se sont engagées dans cette voie de la maternité « déplacée » dans le temps, sont-elles de meilleures pédagogues, des mères plus affectueuses, plus attentives ? Sont-elles des mères « idéales » ? Quelle femme, quelle mère peut se penser « idéale » un seul instant ? Les enfants de ces mères, un peu plus âgées que la moyenne, seront-ils plus ou moins sains, équilibrés... qui peut le dire ?

Chaque génération vit une aventure nouvelle et la génération montante plus qu'une autre dans ce monde aux changements si rapides. Les mères « tardives » d'aujourd'hui ne sont en rien comparables aux mères de 35 ou 40 ans du temps passé. Elles innovent avec plus de pouvoir et plus de connaissance. Plus de pouvoir en particulier sur leur propre corps, grâce aux progrès de la médecine dont elles doivent se servir, sans accepter une pathologisation de chacun des actes les plus naturels. Dans leur relation à l'enfant, du fait qu'elles savent qui elles sont, comment se situer, quel projet les anime, elles ont une autre écoute de leur nourrisson. L'attention qu'elles leur portent témoigne d'un désir d'établir une relation de réciprocité plutôt que de possessivité.

Sommes-nous capables de parler d'« avantages » et d'« inconvénients » à être une mère « tardive » ? Est-on plus ou moins patiente, fatigable, anxieuse ? nous demande-t-on. Impossible de répondre. N'est-on pas parfois plus résistant à 40 ans qu'à 20 ans ? Mais ce serait surtout admettre une série de stéréotypes sur les qualités maternelles, alors qu'il appartient à chacune de découvrir sa manière d'être mère. Tout au plus peut-on penser que l'âge apporte une meilleure emprise sur le monde et une maîtrise de soi qui retentissent favorablement sur le développement de l'enfant.

TABLE DES MATIÈRES

Cet ouvrage
reproduit par procédé photomécanique
a été achevé d'imprimer le 20 octobre 1982
sur presse CAMERON
dans les ateliers de la S.E.P.C.
à Saint-Amand-Montrond (Cher)
pour le compte des éditions Robert Laffont
6, place Saint-Sulpice - 75279 Paris Cedex 06

Dépôt légal : novembre 1982.
N° d'Édition : M.873. N° d'Impression : 1526.